W9-AHI-184

사랑의 빚 외에는 지지 말라

한비영 교수님.

김인숙 드림
(Fairfax VA.)
10/3/2013

사랑의 빚 외에는 지지 말라 | 1999년 6월 10일 제 1쇄 발행 | 지은 사람 김인숙(In Sook Kim Park) | 펴낸 사람 윤석필 | 기획한 사람 민윤식 | 제작한 사람 황인환 | 편집 김윤정 안정희 | 마케팅 노정수 | 영업관리 임고숙 | 아트디렉터 김민기 | 펴낸 곳 하늘출판 서울특별시 서초구 서초4동 1688-5 대윤빌딩 501호 우편번호 137-074 | 대표전화 (02)532-3002 팩시밀리 (02)535-2051 | 출판등록 1999년 3월 27일 제 22-1525호 | 피씨통신 하이텔 HANULPUB, 천리안, 나우누리 HANULBK | 정가 7,000원

사랑의 빚 외에는 지지 말라

김 인 숙
In Sook Kim Park

하늘출판

서시

가을에 서서

사각사각
나뭇잎을 스치는
바람소리가 까칠 그린다
가을의 소리

더 높이 더 넓게
펼쳐지는 맑은 하늘에
티없는 하얀 구름이
두둥실 떠 있다
가을의 마음이 떠 있다

싱그러운 맑은 공기의 스침은
밀물로 밀려오는
서러움
가을의 감촉이겠지

외로움이 그리움을
그리움이 슬픔을
고즈런히 자아올리는 것이
가을의 향취이런가

이 책을 읽으실 분들께

1970년에 우리는 미국에 왔다. 남편은 2~3년 의사 훈련을 더 받고 한국으로 돌아갈 생각이었다. 그러나 우리의 나머지 시간은 이땅에 그대로 머물게 되었고, 남편은 이곳 피츠버그의 언덕 위에 잠깐이 영원이 되어 고향처럼 잠자고 있다.

인생은 머무는 그 땅 위를 딛고 걸어간다. 그 땅이 낯선 땅이기에 나의 발걸음은 서툴고, 돌에 치여 넘어지기도 했다. 가볍고 즐거웠던 발걸음보다 무거웠던 발걸음들이 낸 움푹한 발자국을, 쓰리고 아플수록 조개 속의 진주알처럼 고이 간직한다.

사람들이 발자국을 남기려고 걷지 않듯이 나는 글을 쓰기 위해 글을 쓰지 않았다. 걸어온 발자국들의 소리가 내 심장을 울릴 때 발자국에 담긴 사연들을 글로써 조금씩 조금씩 담아내었다. 그 아픔의 눈물들이 진주알 같은 사랑을 만들어주었다.

발자국의 소리들이 모여 빛을 보고 한 권의 책이 된다는 것이 두렵고 부끄럽기만 하다. 그러나 나의 소리가 허공을 치지 않고 가슴속에 메아리를 칠 수 있기를, 가슴 조이며 바란다.

부족한 글들을 맡아주신 하늘출판사와 오늘이 있기까지 격려와 지도를 아낌없이 주신 김정기 선생님(시인), 나한봉 선생님(시나리오 작가)께 진심으로 감사드리고 싶다. 그리고 적극적으로 밀어준 형제 친지 친구 모든 분들에게 고마움을 전하고 싶다.

책이름은 "사랑의 빚 이외에는 아무것도 지지 말라" 고 한 성경 말씀에서 빌어왔다. 사랑의 빚은 신비한 마력이 있어서 세월이 갈수록 더욱 커지고 늘어나지만, 그럴수록 빚 진 마음은 오히려 포근하고 따사로워져, 세상의 아름다움을 가슴으로 볼 수 있게 한다. 그러기에 사도 바울께서 사랑의 빚은 갚지 않아도 된다고 하셨다 보다.

1999년 5월

김인숙

깊고 푸른 우물 같은 글을 추천하며

김정기(시인·미 동부한국문인협회 전 회장)

낯선 땅에서 아주 따뜻하고 섬세한 문우(文友) 김인숙 시인을 만나게 되었습니다. 이 만남은 운명적이라 할 만큼 단단하고 필연성이 있는 글과의 대화였습니다. 정이 깊고 순전(純全)한 김인숙 시인의 수필들에서 내려갈수록 깊고 푸른 우물의 상쾌함과 가슴 찡한 맛을 느꼈습니다. 이제 김인숙 여사의 주옥 같은 글들을 모아 책으로 엮게 되니 무어라 감격스러움을 표현해야 할는지요.

많은 김인숙 시인의 글들이 남편을 그리워하고 있습니다. 이 세상에서의 이별이라는 잔혹한 아픔을 딛고 일어서서 강풍을 동반한 수필을 쏟아내고 있습니다. '포스터와 나의 남편' 같은 글에서 보듯 김 시인의 문장과 관찰력은 뛰어납니다. 한 음악가와 남편을 연결지우는 테크닉과 언어 선택 등이 돋보이는, 우아하고 향기로운 작품입니다. 또, 하나님을 만나며 대화하는 내용들은 크리스천 문학의 진수를 맛보게 합니다.

김인숙 시인은 자녀들에게도 지극한 사랑을 주었습니다. 가족에 대한, 이웃과 교회에 대한 따뜻한 마음가짐이 글마다 잘 나타나 있습니다.

퍼마셔도 계속 솟아나는 깊고 푸른 우물이 가슴속에 있는 김인숙 시인의 문학적 역량이 꽃피고 열매맺는 미래가 기다리고 있음을 확신하며, 그 재질이 더욱 하나님께 영광 돌리는 시금석(試金石)이 되리라 믿으며 기도합니다.

金貞起

차례

제3주제 | 신앙

하늘의 소망이 내 가까이 있음을

제4주제 | 가족

그래서 행복은 아름다움입니다

제1주제 | 인생

한그루 나무가 되게 하소서

물 같은 세월이 내 마음의 모난 바위의 모서리를 둥글게 하고

마음속 찌꺼기들을 씻어내려 맑은 강물 같은 마음만 남아 있다면…

비록 세월이 겉모습은 초라하게 그려놓아도

가슴 뿌듯이 올라오는 진정한 행복을 느낄 수 있으련만……

거울

우리집 안에는 벽 중간 중간마다 거울이 걸려 있다. 벽에 그림을 붙여놓기를 좋아하는 남편은 커다란 그림은 물론이고 손바닥만한 공간만 있어도 성경구절이나 격언이 예쁘게 쓰여진 나무조각 액자를 붙여놓는다.

"진리는 너를 자유케 하고" "주님! 저에게 인내심을 주세요 제발 빨리요" "오늘 하루는 생의 시작의 날" 등, 스쳐지나가며 본 문구들이 아주 친숙하게 기억 속에 남아 있다. 그런데 오랫동안 눈에 띄지 않던 거울이, 요즈음은 유난히 눈에 들어온다. 슬쩍슬쩍 거울 앞을 스쳐 지나갈 때마다 낯선 여인이 눈에 거슬린다. 누군가하고 의아할 정도로 눈에 익지 않은 여인이 항상 거기에 있다. 아니 어딘가 먼 기억 속에 남아 있는 사람, 우리 엄마 인상을 풍기는 사람 같기도 하고…. 내 앞에 서 있는, 머리가 희끗희끗하고 두 볼이 축 처진, 인생의 마지막 고비를 넘어서고 있는 이 여인은 아무래도 낯설기만 하다. 어째서 낯선 여인이 여기에 있는 걸까? 슬쩍 지나치다가 다시 거울 앞에 선다. 빈 거울 속의 여인, 그 속에서 아스라히 풍기는 아픔. 숨겨둔 내 모습을 들킨 것 같아 얼른 그 자리를 피해버린다.

자기 전, 세수를 하다 어쩔 수 없이 들여다보게 되는 거울 속의 여인은 공허하기만 하다. 눈가의 잔잔한 주름, 희미해진 눈썹 밑, 힘 잃은 눈동자. 어느샌, 세월이 그려준 내 얼굴을 들여다보면서, 내 모습으로 받아들여지지 않는다.

있는 그대로 받아들여야 한다. 세월이 간 그대로…, 나에게 타이른다.

그러나 아무래도 내 감성의 흐름보다 세월이 너무나 급히 서둘러 흐른 것 같다. 성급한 세월이 그려주고 간 나의 껍질을 보면서 "나의 속 사람은 어떻게 변했을까?" 마음을 들여다볼 수 있는 거울이 있었으면 좋겠다, 생각해본다.

그 거울 속에, 세월이 가르쳐준 성숙함과 지혜가 비친다면 얼마나 좋을까? 익기도 전에 쪼그라진 부실한 과실로 남아 있다면, 늙은 껍질보다 얼마나 허망한 속 사람의 몰골일까…?

"흐르는 세월은 강물 같아라" 하듯이 물 같은 세월이 내 마음 모난 바위의 모서리를 둥글게 하고, 마음 속의 찌꺼기들을 씻어 내려 맑은 강물 같은 마음만 남아 있다면…, 비록 세월이 겉모습은 초라하게 그려놓아도, 가슴 뿌듯이 올라오는 진정한 행복을 느낄 수 있으련만…….

자녀 교육

내가 경영하고 있는 동양가게에는 동양인뿐만 아니라 각 나라 사람들과 그들의 아이들도 온다. 나는 계산기 앞에 검정콩, 초록색 콩(녹두), 노란 콩(메주콩), 빨간 콩(팥)들을 한 통씩 진열해놓고 손님들이 원하는 대로 사가게끔 해놓았다.

엄마 손을 잡고 들어온 아이들은 알록달록한 색깔에 끌려 이내 엄마 손을 떨치고 콩 앞에 다가선다. 어느새 고사리 같은 손으로 색깔마다 한 줌씩 덜어 다 섞어버리고 만다. 각 나라 애들의 행동은 똑같은데 엄마들의 반응과 교육은 나라 별로 특색(?)이 있어 신기했다.

올망졸망 연년생의 아들딸 서너 명이 들어서고 엄마가 뒤따라 들어온다. 이 흑인 엄마는 무거운 쇼핑 백들을 힘에 겨운 듯 들고, 가게에 들어서자마자 소리소리 지른다. "가게에 와서는 남의 물건에 손대면 안된다고 했지?" "손대지 말랬지?" "몇 번이나 말을 해야 알아들어!" 하며 만지고 싶은 것은 다 만지고 마음대로 뛰어다니는 애들의 머리를 힘껏 쥐어박는다. 아이들은 야단맞는 것과 매맞는 것에 면역이라도 된 듯 움칫하지도 않는다. 급기야는 진열해놓은 콩들을 마구 섞어버린다. 섞어 놓은 콩을 힐끗 쳐다본 그 엄마는 또 목청껏 고함을 치며 나무란다. 가게 문 밖으로 뛰어 달아나는 아이들의 뒤를 따라 소리소리를 지르며 엄마도뛰어나간다. 열심히 화를 내며 훈계를 주건만, 전혀 먹혀 들어가는 것 같지 않아 의아해진다.

하얀 얼굴에 귀엽게 생긴 꼬마가 엄마를 따라 신기한 듯 동양 가게에 쪼르르 들어선다. 눈에 확 띄는 색색깔의 콩 앞에 다가서자마자 한 줌씩 섞어버린다. 백인 엄마는 어느 틈에 골고루 섞은 콩을 보며 "Honey! No!" 차분하지만 엄격한 목소리로 주의를 준다. 계산기 너머로 멀거니 보고 있는 나를 보며 "죄송해요" 하며 미안해한다. 아랑곳하지 않는 꼬마는 다른 색깔의 콩을 또 한 줌 쥔다. "No Honey!" 똑같은 톤(Tone)으로 주의를 주는 동시에 애의 손목을 꽉 쥔다. "남의 물건에 손대는 것이 아니야!" 조용히 타이른다. "네가 섞은 콩을 제자리에 넣어라!" 꼬마는 고분고분 엄마 지시에 따라 고사리 같은 손으로 하나하나 제자리에 넣는다. 차분한 태도로 끈기 있게 지켜보고 있는 엄마. 그 꼬마의 인격을 존중해주며, 주의를 주는 동시에, 낭패를(?) 당한 상대방에게 미안해하며 양해를 구하는 그 엄마의 태도가 퍽이나 인상적이었다.

같은 또래의 아이를 데리고 동양 엄마가 들어온다. 애들의 호기심은 다 같아서 또 콩들을 뒤섞고 만다. 엄마는 엄마대로 다른 사람과 얘기하느라 바쁘고, 아이는 아이대로 콩을 마구 섞느라 바쁘다. 보다 못한 나는 "얘야! 콩을 섞으면 아줌마가 힘들단다. 섞지 말아라, 응!" 아주 부드럽게 주의를 준다.

주의를 주는 말을 들은 엄마는, 애에게 급히 다가선다. "네가 콩을 섞었니?" 심사가 뒤틀린 목소리로 애에게 물어 확인한다. 놀란 애는 엄마 얼굴을 멀뚱거리며 쳐다보다가 "아니" 고개를 좌우로 흔든다. "우리 애가 섞지 않았다는데요, 다른 애들이 섞어놓았군요." 자기 애를 무조건 옹호하며 도전적이다.

자기 애를 한 인격체로 보아 교육시키기에 앞서 자신의 일부로 여겨 본능적으로 과잉보호하며 나서는 엄마 앞에서 나는 할 말을 잃는다.

특이한 것은 동양 엄마 중에서도 일본 엄마는, 주의를 받는 자기애와 콩을 번갈아 보며 섞은 콩을 쳐다보고 있는 나에게 "스미마생, 스미마생"(죄송해요, 죄송해요)만을 연발한다. 콩을 섞은 자기 애의 교육보다 상대방에게 피해를 준 것이 더 미안해 쩔쩔맨다. 애들은 내가 언제 무얼 했느냐 싶게 가게 안을 자기집 마당 뛰어다니듯 하고, 엄마는 엎드려 일일이 콩을 주워 제자리에 넣는다. 똑 소리가 날만큼 알뜰하다는 일본 엄마가 자기 애에게 교육시키기 전에 질질 끌려가는 것을 나는 멀건히 쳐다만 볼 뿐이다.

자녀 교육은 어떤 학술 이론 이전에 부모 자신의 올바른 자세,

남을 귀히 여기는 심덕이 앞서는 것이 아닐까 하고 생각해본다. 주님도 부모인 우리에게 명하고 계신다.

> 마땅히 행할 길을 아이에게 가르치라
> 그리하면 늙어도 그것을 떠나지 아니하리라. (잠 22;6)

부모가 되기는 쉽지만 올바른 부모가 되기는 쉽지 않듯이, 마땅히 행할 길을 우리 부모 자신이 먼저 알고 행해야만 산 교육이 될 것이라 믿는다.

라스베가스

여기저기, 차르르 차르르, 슬롯머신에서 동전이 쏟아져 나온다. 호텔마다, 하다 못해 햄버거를 파는 조그만 간이 식당에까지, 없는 데 없이 수백 개의 슬롯머신이 어지럽게 나열돼 있다. 수없이 많은, 각양각색의 사람들이 무엇에 홀린 사람처럼 기계 앞에 붙어서서 돈 기계의 손잡이를 계속 잡아당기고 있었다.

몇 년 만에, 남편의 학회에 동행하여, 이 도박의 도시 라스베가스란 곳에 왔다. 휘황찬란한 네온사인과 무엇에 홀린 듯 휘청거리는 수많은 사람과 공기 전체가, 나 같은 촌사람의 넋을 뽑아놓기에 충분했다. 도박의 도시 라스베가스! 말만 듣고 와보니 소돔과 고모라가 이랬었던가? 넋을 놓고 주위를 둘러보았다. 조금 후, 정신을 가다듬고 이 도깨비 같은 돈 기계와 놀음에 정신이 나간 사람들을 쳐다보았다. '어처구니없도록 불쌍한 사람들…….' 가련한 생각마저 들었다. 저런 공짜나 뭉텅이 돈을 바라지 않을 만큼 나의 정신자세(?)가 바르다는 것에 자부심마저 가졌다. 원래 나는, 도박이라는 말도 귀에 익지 않을 뿐더러, 도박이라는 것은 정말로 흥미 밖의 일이었다.

남편이 학회 공부를 하는 동안 나는, 이곳 호텔만의 슬롯머신을 쳐다보는 외에는 할 일이 없고, 소일할 거리도 없었다. 나는 뒷짐을 지고, 슬롯머신 사이를 왔다갔다하면서 욕심에 찌들은 넋나간 사람들을 관찰해(?)보기로 했다. 한참을 기웃거리다가, 내 손에 만져지는 동전을 꺼내, 심심풀이로 주인 없이 서 있는 도깨비 기계에다 출렁 넣었다. 손잡이를 잡아당기자 "차르르" 동전 몇 개가 떨어져 나왔다.

"야 이거 기분인데…!"

하나를 넣고, 또 하나를 넣었다. 그러나 이번엔 나오다가 아무 소식이 없었다. 결국 내 동전을 "꿀떡" 다 삼켜버린 것이다. 동전이 다 떨어진 후에 1불짜리 지폐를 꺼내 도박하는 동전으로 바꾸고, 그러다간 어디에 홀린 사람처럼 10불짜리를, 100불짜리를, 지폐의 단위가 커지기 시작했다. 무감각하게, 슬롯머신에다 동전을 넣고 또 넣었다. 차르르 수많은 동전이 쏟아져나올 때의 기분은 무엇이라고 표현할 수 없는 스릴을 느끼게 했다.

"불쌍한 인간들" 이라고 탄식했던 내가 어느 사이에 바로 똑같은 인간이 되어가고 있는 줄도 모르고, 나는 도깨비머신에 계속 돈을 넣었다. 도깨비머신은 나의 돈을 꿀꺽꿀꺽 삼켜먹기만 했다. 한참을 그러다 보니, 수중에 돈이 한푼도 남지 않았다. 그제야, 빈손을 툭툭 털고, 핑크 색 열기가 자욱한 거리로 나왔다. 확

고부동한 신념이 있다고 자신하던 나는 어디로 가고, 어깨가 축 처진 얼띤 모습의 몰골만 남았다.

성경공부 시간이었다. 우리 목사님이 열심히 성경을 가르치셨다. "여러분! 배가 바다 위에 떠 있을 때 조그만 구멍이라도 나 있으면 어떻게 되겠습니까?" "물이 조금씩 새어 들어올 것입니다. 그리곤 조금씩 조금씩 배 밑창에 가득히 깔리게 됩니다."

무슨 말씀을 하시려나? 나는 호기심을 돋구며 들었었다.

"여러분! 여러 성도님들이 믿음의 배를 타고 믿음의 생활을 하시다가, 이 세상의 죄와 욕심의 물이 새어 들어오기 시작하면, 이 세상의 물이, 여러분들의 믿음의 배를 침몰시키고 말게 될 것입니다."

'그래서…?' 나는 속으로 말한다. '야! 우리 목사님은 너무 극단적인데…, 이세상에 살면서 이세상 물이 조금은 들어오면 어때서 그러셔….' '그런 재미도 없이… 무엇도 하지 말고, 무엇도 하지 말고… 야! 이건 곤란한데. 이세상 재미도 적당히 보고 믿음 생활을 하면, 더 멋진 신앙인이 될 텐데…' 하며 내가 얼마나 속으로 반발했던가?

굳은 신념과 확고한 자세로 슬롯머신의 전쟁터에 들어간 나는, 완전히 패배자의 몰골이 되어 나왔다. 목사님의 열띤 음성이, 이제야 새 힘을 가지고 내 심경에 울려온다. '그렇다! 이제부터는 죄와 욕심의 물이 한 방울도 새지 않도록, 아예 이런 장소는 처음부터 피해야 되겠다' 고 다짐했다. 더욱 믿음의 배에 물이 새는 곳이 없도록 역청을 칠해야겠다.

놀부와 십일조

아침 출근 시간이다. 시내로 내려가는 수많은 차가 무엇에 쫓기듯 휭휭 달리고 있다. 달리다가 밀리는 앞 차들 때문에 어쩔 수 없이 길이 콱콱 막힌다. 생명없는 자동차마저 안절부절하는 것같이 보인다. 그 밀린 자동차들의 사이에 끼인 나는 깊은 생각 아니 고민에 빠져 있다. 오늘 은행 잔고가 얼마나 되었을까? 분명히 잔액이 없을 텐데…. 나중 날짜로 끊은 많은 수표들이 오늘쯤은 들어올 것이고 그동안에 충분히 입금을 시켜놓지 못했으니까 부도가 나지 않을까…? 부도가 나면 벌금이 추가되겠지만 벌금이 문제가 아니라, 수표를 끊어준 도매상에 대한 나의 신용이 문제이다.

"당신 수표가 부도가 났소" 라고 전화가 왔다.

"죄송해요, 죄송해요, 즉시 다른 수표를 보낼게요" 라고 했다.

이 수표가 또 부도가 나면 나는 어떻게 할 것인가? 앞이 캄캄하다는 말은 이럴 때를 두고 하는 말일까…?

막혔던 교통이 풀리며 자동차가 서서히 움직이기 시작한다. 항상 틀어놓은 기독교 방송에서 목사님의 열띤 설교가 들려오지만 귓등으로 흘려버리며 나는 암담하기만 했다. 그러다가 "주님! 저를 좀 도와주세요" 간구의 기도가 절로 터져 나왔다. 누군가가 나에게 들려준 전도의 말이 생각났다.

"성경 전체에서 하나님을 시험해 보라는 말은 한마디도 없고 하나님을 시험하면 죄라고 했어요. 그런데 말이에요," 자신만만한 태도로 덧붙여 말했다.

"십일조는 내고 하나님을 시험해보라고 하셨어요, 그러면 틀림없이 하나님이 몇 백 갑절 물질의 축복을 주신대요."

마지막 말이 걸작(?)이었다. "꼭 한번 하나님을 시험해보세요, 십일조를 내고, 물질의 축복을 받나 안 받나 보세요, 틀림없이 축복을 받아요." 아주 힘있게 이 말로 끝을 맺었다.

자신의 물질적인 축복을 위하여 십일조를 내는 장사속 같은 믿음은 차라리 없는 게 낫다고 여기며 그 말을 묵살해버렸다. 그리고 그런 어처구니없는 믿음의 소유자가 있다는 게 더욱 서글프게 생각되었다. 그런데 이 간곡한 전도(?)의 말이 나의 전의식 속에 숨어 있다가 왜 이 각박한 순간에 튀어나오는 것일까?

"십일조를 내어 보세요" "틀림없어요" "시험해 보세요"라는 말이 메아리가 되어 나의 머리 속에서 맴돌고 있었다. "그렇다! 이제부터 십일조를 내며 주님께 이 어려움을 이기게 해 달라고 간청(?)해 보자." "그러면 십일조를 어떻게 내지…? 수입이 얼마인지 적자인지 흑자인지도 모르는 판에…," 한참 이러쿵저러쿵 돌아가지 않는 머리로 생각해본다. 열 단위만 올라가도 더하기 빼기도 서툴고, 물건값도 보지 않고 마음에만 들면 사는 버릇이 있는가 하면, 가계부 하나도 처리할 능력이 없는 내가 이 큰 가게를 혼자서 맡아 한다는 자체가 너무나 어처구니가 없는 일이었다. 한참 십일조를 생각하는 중에 갑자기 흥부와 놀부의 이야기가 떠올랐다.

흥부와 놀부의 이야기는 한국사람이면 다 아는 우리나라의 전통적인 옛이야기다. 마음 착한 흥부가 다리가 부러져 떨어진 제비를 불쌍히 여기고 치료를 잘 해서 날려보냈는데 그 다음 해에 박씨를 물고 왔기에 그 박씨를 심었더니 커다란 박이 주렁주렁 달렸다. 흥부는 박이 다 익은 후에 톱으로 박을 쓰러렁쓰러렁 켰는데, 금은보화가 쏟아져나와서 큰 부자가 되었다. 이 이야기를 들은 욕심 많고 심술쟁이인 형 놀부가 날아가는 제비를 잡아 다리를 부러뜨린 후에 상처를 싸매어 날려보냈다. 동생 흥부가 이야기한 대로 이번에도 제비는 놀부에게 박씨를 물어다 주었다. 수확 철에 커다란 박이 주렁주렁 달렸다. 놀부는 너무 좋아서 덩실덩실 춤을 추며 박을 톱으로 쓱싹 쓱싹 켰더니 그 속에서 도깨비가 튀어나와 방망이로 놀부를 때리고 혼을 냈다던가…?

까마득하게 잊어버렸던 옛날 이야기가 왜 하필 이 순간에 튀어나올까. 씁쓸한 웃음이 입가로 번져간다. '그렇다! 나는 형인 놀부와 똑같은 인간이구나!' 생각했다.

'나는 절대로 놀부와 같은 인간은 될 수 없어! 나의 이익을 위

해 수단과 방법을 가리지 않는 그런 몰염치가 되어서는 안돼!'

허물어져 가는 자신을 세우려 안간힘을 썼다. 십일조를 내고 물질의 축복을 받으려고 하던 그 서글펐던 예수쟁이처럼 되려는 자신을 보고 나는 한없이 더 서글퍼졌다.

많은 세월이 흘렀다. 이제 나는 지난날을 돌이켜본다. 욕심쟁이 놀부가 되지 않겠다던 안간힘에서 나도 몰래 서서히 벗어나고 있다는 사실을 깨달은 것이다.

욥기 4장17절 "인생이 어찌 하나님보다 의롭겠느냐, 사람이 어찌 그 창조하신 주보다 성결하겠느냐?"

내가 의로우면 얼마나 의로울 수 있겠는가? 나의 좁은 소견으로 나를 지키겠다고 바둥댔던 것이 너무도 보잘 데 없는 것이라고 느껴졌다. 나의 모든 것을 완전하신 주님의 손에 맡기고 싶었다. 나의 좁은 그릇에 담겨진 자존심, 자아중심적인 사랑 등 나의 곧은 목이 성령의 물로 서서히 풀려나가는 것을 깨달으며 나는 문득 자유함을 얻는다.

분별되게 살아라

금요일 오후 5시쯤 되면 우리 모두는 마음이 조급해지기 시작한다. 누가 빨리 하자고 재촉하지 않아도 우리 가게 식구는 서둘러서 일을 끝내려고 손놀림이 더 바빠진다. 늦게 들어오는 손님들에게는 양해를 구해가며 급한 것만을 사게 하고 부랴부랴 가게문을 닫고는 금요 성경공부 하러 떠난다. 쉴 틈도 없이 하루종일 일하고 보니 몸은 피곤에 지쳐 파김치같이 되었고 일하던 옷차림 그대로라 김치냄새, 생선냄새를 온통 풍겨대지만 우리 모두는 그저 기쁘고 즐겁기만 하다. 차안에서 한참 떠들고 나면 어느새 30분의 거리의 교회가 바로 눈앞에 다가선다.

성경공부 시간에 여호수아 3-4장 요단강을 건너는 여호수아를 공부했다.

"곧 위에서부터 흘러내리던 물이 그쳐서 심히 멀리 사르단에 가까운 아담 읍 변방에 일어나 쌓이고 알라바의 바다 염해로 향하여 흘러가는 물은 온전히 끊어지매 백성이 여리고 앞으로 바로 건널 새 여호와의 언약 궤를 멘 제사장들은 요단 가운데 마른땅에 굳게 섰고 온 이스라엘 백성은 마른 땅으로 행하여 요단을 건너니라."(여호수아 3장16절)

하나님의 도우심을 곧잘 잊어버리는 인간들을 위해 요단강 밑바닥에 있는 돌을 각 지파의 대표들이 하나씩 가지고 가서 길가에 기념비를 세우라고 하신 하나님의 말씀을 배웠다. 이 말씀을 배우자 내 마음에 강한 충동이 일기 시작했다. 나로선 억울해야 하고 원통해야 하고 아까워서 쩔쩔매야 할 일들이 희한하게도 감사한 마음으로 충만(?)해 있으니 주님이 내게 주신 마음이 분명했다.

"주님이 주신 이 감사하는 마음을 잊지 않도록 어떻게 돌 비를 세우지…?" 한참을 생각했다. "그렇다! 성경공부를 하고 있는 이 순간 이 많은 사람들 앞에서 간증을 하자. 그리고는 내 평생 잊지 않고 기억하도록 하자"라고 마음이 정해졌다.

다른 한쪽의 내가 불쑥 항의를 한다. "창피하게시리 그걸 어떻게 말해… 그게 무슨 자랑거리라고…, 혼자 기억해 두면 될 것 아냐… 그만 잠잠히 앉아 있으라구…."

이 두 마음이 서로 엇갈려 내 가슴은 방망이치듯 두근거렸다.

나는 원래 남의 앞에 나서는 것을 꺼려하고 뒷전에 서서 구경이나 하며 속으로 이러쿵저러쿵 비판이나 하는 자기멋(?)에 사는 사람인데…, 그러나 이번은 어쩐지 그냥 뒷전에 가만히 있을 수가 없었다. "주님! 감사합니다!" 라고 순간순간 속 깊은 곳에서 우러나오는 진정한 감사를 얼마나 많이 했던가? 그러나 지금 생각하면 무얼 감사했는지 가물가물하다.

"간증할 것이 있는 분은 앞으로 나오세요."

목사님께서 단 옆으로 서시면서 말씀하셨다. 조용한 시간이 흘렀다. 나는 가만히 손을 들었다. 그리고 앞으로 나아갔다.

"나는 워싱턴에 물건을 하러 갔었습니다. 그리고 3천 몇백 불의 돈을 잃어버렸습니다. 돈을 잃어버리고 난 뒤에 아찔했습니다. 도매상에 주기로 약속했던 현찰이었습니다. 내가 돈을 잃어버린 곳은 워싱턴의 채소 도매상이었습니다. 이곳은 땅은 미국 땅이지만 옛날 한국 부산의 자갈치 시장을 뚝 떼어 온 것처럼 모든 상거래가 한국식이었습니다. (지금도 한국에서는 그렇게 하는지는 모르겠지만) 다 썩은 채소를 무더기로 주어도 또 계산서에 적혀 있는 물건을 주지 않았어도 일단 채소 도매상을 떠나면 막무가내며 배짱이라 나 같은 얼간이는 손해를 많이 보았습니다. 그래서 그 많은 채소나 채소상자를 일일이 점검해야 했습니다. 그런데 그날은 시금치 한 상자가 더 들어왔습니다. 그것을 트럭 밖으로 내다놓고는 다른 도매상에 갔습니다. 돌아와 보니 우리 트럭 운전사가 그것을도로 갖다넣어 두었습니다. '이건 내 것이 아니요'라고 말하려고 하다가 조금 억울한 생각이 들었습니다. '말할 필요가 뭐 있어. 피장파장이지… 저희들은 나한테 얼마나 손해를 줬어…? 그에 비하면 이건 정말 아무것도 아니야! 코끼리의 코에 비스킷이야! 당연히 말할 필요가 없어!'라고 내 마음속으로 줄달음치듯 합리화의 변명이 스쳐 지나갔습니다. 그리고 남의 것을 가졌습니다. 돈을 잃어버리고 나자 나의 탐심이, 흑심이 아침햇살에 비추인 먼지같이 완연히 들여다보였습니다. '너는 피장파장이다 라는 식으로 너를 변명하며 살지 말아라' 하는 훈계의 음성을 듣는 것 같았습니다. 주님은 나에게 나를 돌이켜 볼 수 있는 기회와 눈을 주셨고 '너는 분별된 삶을 살아라' 하는 음성을 듣게 해 주셨습니다. 돈은 잃어버렸지만 귀한 것을 깨닫게 해 주셨으니 그 감사한 마음은 이루 헤아릴 수가 없습니다."

나는 간증을 마치고 자리에 돌아와 앉았다. 나에게는 적지 않은 돈이지만 이를 잃어버리고 더 귀한 것을 찾게 해주셨고 더하여 감사한 마음과 평안한 마음을 주신 주님께 진심으로 감사를 드린다.

그후에 천불에 가까운 주문하지 않은 상품들이 실수로 배달되어 오고 채소 상에서는 한 상자에 백불에 가까운 연뿌리 상자가 더 들어오는가 하면 일본식품 도매상에서는 계산을 잘못해서 큰 액수의 돈을 적게 청구하는 등 계속해서 탐심을 가질 수 있는 기회가 많이 생겼다. 그럴 때마다 "너는 분별되게 살아라" 하는 주님의 부드러운 음성을 들을 수 있었다. 도매상에게 바르게 이야기해줄 때 그분들이 기뻐하는 것보다도 오히려 나의 기쁨이 형용할 수 없이 컸다. 물론 그 뒤에 오는 도매상들에게서 나에게 주는 신용도 돈으로 그 값어치를 헤아릴 수 없을 만큼 컸다. 주님이 가르쳐주신 대로 사는 것은 죽은 후의 천국만이 아니요 이세상에 살 때에도 참으로 복되고 기쁜 일임을 다시 한 번 깊이 깨달았다.

태풍이 지나간 자리

미국, 피츠버그에 역사상 처음으로 태풍이 몰아쳤다. 그것도 며칠 사이로 두 번이나…. 처음의 태풍은 텔레비전 뉴스에서 만났다. 짓궂은 애가 장난감 집을 마구 발로 짓밟아 놓은 것 처럼 지붕은 날아가고, 집을 지탱하던 벽돌들은 사정없이 흩어져 길로 쏟아져나왔다. 순식간에 당한 참변에 허탈한 모습으로 자기네들 집을 내려다 보는 많은 사람들의 모습도 텔레비전에 나왔다. 피츠버그 서부쪽, 우리집과 불과 30분 거리에 있는 곳에 일어났던 일을, 강 건너 불 구경하듯, 무심히 지나쳐버렸다.

며칠 후 일을 마치고 집으로 돌아오는 길에, 가로등이 모두 꺼져 있고, 신호등도 맥을 놓고 있다. 차들은 서로의 눈치를 보며 슬금슬금 기어가고, 길가로 쭉 뻗은 검은 가로수가 더욱 어둠을 짙게 하고 있다.

"웬일일까? 신호등이 고장나더라도 한두 개지…."

심상찮은 기운을 온 공기가 말해주고 있는 것 같다. 집 가까이 오자, 굵직한 나뭇가지들이 허연 살을 드러내고 부러진 채 길 한 가운데 쓰러져 있다.

"어머! 태풍이었잖아!"

텔레비전 뉴스의 기억이 불안과 공포로 몰아넣는다.

아직도 태풍이 남기고 간 썰렁한 바람이, 도로 위에 즐번히 쓰러진 나뭇가지 잎을 건들거리고 있다. 산허리, 야트막한 언덕길을 두근거리는 가슴을 안고 차를 급히 몰고 올라갔다. 오른쪽으로 꺾어들자 거리에 수북히 쌓인 나뭇잎들이 바람에 몰려다니고 있다. 잎을 몽땅 떨어 뜨린 채 맹숭히 서 있는 고목들을 보며 "아휴… 이곳은 태풍이 비켜지나갔네" 두근거리는 가슴을 쓸어내린다.

숲 속을 지나 집 가까이에 오자, 온 동네는 어둠을 뒤집어쓰고 있다. 어둠을 밀어내는 차의 헤드라이트에 따라 드라이브웨이로 조심스레 들어갔다. 습관적으로 리모트 콘트롤을 누른다. 절벽 같은 어둠 속에 차고 문은 움쩍도 안 한다.

"동네 전체가 정전이 되었는데 리모트 콘트롤을 누르다니…."

멍청이 같은 자신의 어리석음을 나무라며 정문 앞으로 더듬더듬 걸어갔다. 거의 쓰지 않던 정문 열쇠를 찾느라 열쇠꾸러미의 열쇠를 하나하나 꽂으며 찾는다.

캄캄한 집안에 들어 선 나는, 그냥 우뚝 서 있었다. 어둠에 익숙해질 때까지…. 마지막 저녁 햇살이 남기고 간 엷은 빛을 받아 장식용 촛대를 내린다. 막내 놈이 숨겨 둔 담뱃갑 옆에 있던 성냥을 기억해 낸다. 성냥을 쭈욱 긋고 성냥불을 켠다. 조그마한 불빛이 어둠을 조금 뚫어낸다. 촛대에 불을 붙이고 거울 앞에 둔다. 거울 반사를 빌려 방을 좀더 밝히고 싶다.

그러고는 침대 가에 우두커니 걸터앉는다. 전기밥솥, 전기스토브, 냉장고, 텔레비전, 라디오, 시디, 컴퓨터, 으레 몸의 한 부분같이 붙어 있던 생활 필수품. 나의 손발이 마비된 것처럼 그 어느 하나도 기능을 발휘할 수 없다. 인간이 만든 전기, 우리의 일상생활 구석구석까지 침투해온 전기의 위력이 언제부터인가 인간을 전기의 노예로 만들고, 인간의 뇌의 기능마저 앗아간 것 같다.

"전기를 빌리지 않고 할 일은 없을까? 전화기?" 캄캄한 분위기 속에선 마음도 캄캄해져 누구와 대화도 하고 싶지 않다. "수돗물? 탕에다 물을 가득 받아 목욕이나 하자."

물에서 나왔다. 또 할 일이 없다. 배가 고파 온다. 촛불을 들고 아래층 부엌에서 빵조각과 과일을 찾는다.

"그 동안 모자라던 잠이나 자야지." 간들거리는 촛불 아래 두 눈은 자꾸만 초롱초롱해지니 이 또한 딱한 노릇이라….

"일기를?" 진한 그림자가 같이 글을 쓰고 있다. 빨간 촛불이 비추이는 노르스름한 불빛 밑에 그림자는 어쩌면 이토록 분명하고 또렷할까.

삼일째 전기가 안 들어온다. 저녁 9시, 밝음이 남은 창문턱에 의자를 놓고, 창문을 활짝 연다. 태풍이 남기고 간 서늘한 바람이 살갗을 스친다. 어제보다는 오늘이, 전기로 인한 인간문명에서 벗어난 기분도 꽤 괜찮다고 느껴진다.

전기가 없어 속수무책인 것 같은 무기력 속에서 되레 인간본연이 가진 생기를 되찾는 것 같다. 편리라는 갑옷으로 무장된 무게에서 갑옷을 벗어버린 가벼움이랄까?

새끼 곰만한 앞집 개가 우리집 잔디밭으로 어슬렁어슬렁 들어온다. 반딧불이 여기저기서 나지막하게 불통을 켜면서 날기 시작한다. 바람에 나뭇가지는 건들거리고 잎들은 팔랑거린다. 새의 날개가 신기하게 펼쳐지며 이 가지 저 가지로 난다. 새의 울음소리도 가지가지, 또렷하고 아름답다. 땅거미가 깔린다. 자작나무 흰 둥어리가 어둠을 받아 회색으로 가까이 다가오고, 풀벌레들은 약속이나 한 듯 갑자기 기를 쓰고 울부짖는다. 숲은 까맣고, 온 동네가 숨도 쉬지 않는 것 같다.

뿌연 하늘이 짙도록 까만 이 피츠버그 위에 그대로 있다. 집을 찾아오는 차들의 헤드라이트가 간간이 동네를 밝혔다 스쳐지나갈 뿐, 암흑과 정적, 그 속에서 내 눈과 귀는 점점 밝아진다. 텔레비전이 가져다주는 세상의 지식보다, 라디오가 들려주던 아름다운 음악보다, 자연이 보여주는 신비와 들려주는 노래는 너무도 아름답다. 어둠으로 덮인 검은 숲이 나를 싸안을 때, 어머니 품에 안긴 듯, 본향으로 돌아온 듯, 어느새 나도, 자연 그 속에 하나가 되는 것 같다.

아파트로 이사온 첫날

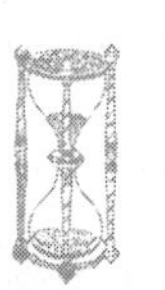

햇살이 블라인드 사이로 길게 드리우는 이른 아침이다. 잠에서 깨어나 낯선 분위기에 눈을 끔뻑이며 정신을 모은다. 벽에 맞닿은 좁은 침대가 주는 불편함에 다리를 길게 뻗어본다. "우당탕" 떨어지는 소리가 난다. 침대 발 밑에 둔 CD가 방바닥에 떨어졌다. 끝없이 선율을 방안에 채워 주는 이 CD가 언제부터인가 나의 귀중한 소지품의 하나가 되었다. 떨어진 것을 제자리에 놓고 CD판을 골라 넣는다. 좁은 방에 모차르트의 "아이네 클라이네 나흐트 무직"이 잔잔히 채워진다. 이 선율 속에서 한 청년을 만났고, 함께 새로운 인생을 시작했다가, 이제 이 선율 속에서 나 홀로 인생의 마지막 장을 열고 있는 것이다.

"소라"라는 린드버그 여사의 글이 엉뚱하게도 기억 속에서 튀어나온다. 어쩌면 나의 모습에서 연상되었기 때문일까? 바위에 달라붙어 살았던 소라가 속알맹이가 어느새 빠져나갔는지 껍질만 뎅그러니 남았다가 굴러 떨어졌다. 모래바닥 위에 떨어져 있는 소라 껍질에서 오늘의 나를 보는 듯하다.

이사를 끝내준 시동생 부부와 여동생 부부가 함께 북적댄 흔적이 아직도 남아 있다. 며칠씩 집에 머물면서 짐을 싸고, 작은 짐은 직접 이 아파트로 옮기고, 남은 짐은 이사 트럭으로 옮겨온 것을 다 풀어 정리해주고 갔다. 정리된 아파트에서, 나의 몸뚱아리마저 그들이 옮겨놓고 떠난 것처럼 나는 이 장소가 생소하기만 하다.

블라인드를 활짝 걷어올렸다. 창문 가에 서서 고개를 들어 먼저 하늘을 찾는다. 그 하늘 밑에는 푸름이 있고 나의 창문 밖에는 한 그루의 플라타너스 나무가 창문을 메우고 있다.

방바닥에 던져진 나무 그림자의 까만 잎이 바람에 가늘게 흔들린다. 천장에 붙은 연한 색의 나뭇잎 그림자도 흔들린다. 선율도 걷어내지 못하는 무거운 이 아파트 공기 속에 움직이는 흔들림이 있다는 것에, 설레이는 반가움이 일어난다.

내가 어디로 가던 충실하게 따라다니던 우리 개 태리, 부엌에도, 침실에도, 나의 그림자 옆에는 태리의 땅딸한 그림자가 항상 뒤따르고 있었다. 여리디 여린 눈동자로 나를 바라보고 따르던 태리…. 태리가 나를 의지했는지, 내가 태리를 의지했는지, 여하튼 우리는 한묶음으로 2년 반이란 무거운 시간을 같이 보냈다. 애완용 불허라는 이 아파트의 규칙으로 이제 내 곁에는 태리도 없다.

'홀홀단신이라는 말을 이럴 때 쓰는 걸까?'

눈에 자꾸만 안개처럼 피어오르는 것을 눈까풀을 깜빡거리며 삭여낸다.

낯선 자리에 멍하니 서 있던 나는, 어디서건 생소한 장소이기만 하면 코를 땅에 끌며 익히던 태리처럼, 두 개의 침실과 두 개의 욕실, 부엌, 거실을 내 것으로 익히려고 방문을 열어보고, 방안도 기웃거리고, 부엌의 수도꼭지를 틀어보고, 화장실의 거울에다 얼굴도 비쳐 보았다.

벽 한쪽은 유리문으로 되어 있고, 베란다로 통하게 되어 있다. 유리문을 활짝 연다. 거기에는 남편이 몹시도 아끼던, 옛집 뜰에서 뿌리를 가져다놓은 한국의 오죽, 멕시칸 장미, 한국의 단풍나무와 여러 개의 화분이 그득했다. 베란다에서 어깨를 맞대며 서 있는 이 나무들은 지들이 왜 옮겨져야 했는지, 땅 속에 뿌리를 내려야 할 나무뿌리가 왜 화분 속에 심겨져야 했는지 알기나 할까…?

화분 속의 흙이 바싹 말라 있다. 경황 중에 화분에 물을 주는 것도 잊었다. 물 주리를 찾았다. 부엌에 가서 물을 가득 채웠다. 바싹 말라 흰빛이 도는 화분흙에다 천천히 물을 뿌렸다. 마른 목줄기를 축여 내는 소리가 들리는 것 같다. 나의 손길을 기다리는 것이 있다는 것, 비록 작은 일이지만 베풀 수 있다는 것이 이렇게 귀한 것임을 처음 깨달았다.

유리문을 뒤로 닫고 거실에 들어섰다. 완전히 혼자가 되어 방

한가운데 우두커니 서서 창문을 거쳐 밖을 내다보며 깨달아지는 것이 있다. 이웃으로 인해 나의 존재가 땅에 뿌리를 내릴 수 있다는 것을…. 얼마나 오랜 세월동안 나만이, 나의 것만이, 나의 감정만이 귀하다고 감싸안고 흔들며 살아왔던가! 그렇게 아끼고 사랑했던 나 자신이 홀로 되었을 때 뿌리를 내리지 못하는 풀포기처럼 그대로 쓰러져 넘어질 것 같다.

복숭아

주먹만한 복숭아가 아주 먹음직스럽다.

복숭아 껍질에, 까칠거리는 촉감이 뽀얀 색깔에서 피부로 전해온다.

한번 깨물면 단물이 줄줄 흐를 것 같다.

입에 군침을 돌게 한다.

복숭아를 쥐었다. 만져지는 촉감이 미끈하다.

다시 손안에 넣어 본다.

두 손바닥에 매끈한 촉감이 전해질 뿐….

"아삭!"

자두를 깨문 것 같다.

"이게 아닌데…?"

고개가 갸우뚱해진다.

복숭아를 치들고, 자세히 본다.

겉모양은 틀림없이 복숭아다.

그러나

촉감은 복숭아가 아니다.

복숭아와 자두를 접종시켜 개종한 복숭아.

현대판 복숭아다.

눈에 뵈지 않는 작은 가시가

따끔거리며 피부를 꺼끄럽게 하지도 않는다.

손톱으로 껍질을 줄줄 벗기면

단물이 손목을 타고 줄줄 흐르지 않아

성가시지도 않지만,

복숭아도, 자두도 아닌 것을 입안에 가득 채운 채

나는

옛날 복숭아를 찾는다.

개종과 편리의 물결이 휩쓸고 가는 이때에

어째서 나만은,

물결 뒤편에 서서

진정한 복숭아의 맛에만

미련을 끈끈히 두고 있는 것일까…?

미로에서

비가 조용히 어둠 속에서 내린다. 숲도 길도 새까만 속을 headlight 빛에 이끌려 좁은 산골길로 천천히 달린다. 압축해 오는 어둠이 내 마음을 죄어들어 온 신경을 눈에다 모으게 한다. headlight에 비친 흐릿한 표지판에 조심스레 복종한다. stop엔 stop하고 slow엔 slow하면서 홍집사님 댁으로 찾아간다. 눈에 익은 다리 양쪽에 세워진 울타리(fence)가 어둠 속에서 어렴풋이 보인다. 이 다리를 지나자마자 오른쪽으로 돌면 바로 몇 집 건너 홍집사님 댁이 있다. 몇 번 가보아서 익히 아는 집을 어둠 속에서 조심조심 찾고 있다. 홍집사님 댁 길 건너 앞집, 들어가는 입구에는 커다란 두 마리의 돌사자가 버티고 서 있다. 이제 그 돌사자가 어둠을 받아 희미한 회색 빛이 되어 간신히 사자임을 나타내고 있다.

"돌사자 맞은편 집이제." 한 번 더 확인하며 차를 천천히 세운다. 주인의 불안한 마음을 아는지 계속 찡찡대는 태리를 달래고 나 혼자 내린다.

"아! 이게 웬일일까?" 그곳에 분명히 있어야 할 홍집사님댁이 없지 않은가! 어둠이 삼켜버린 듯 땅으로 꺼져버린 듯 암흑만 남아 나의 온 정신을 혼돈시키고 있다.

"어머! 또 다른 길로 왔나보네, 틀림없이 이 길이었는데…."

미간에 줄을 만들며 정신을 집중시킨다. 그러나 별 뾰족한 생각이 안 난다. 길눈이 병적으로 어두운 나는 그만 당황하고 만다. 낮의 햇빛과 밤의 어둠이 그린 동네는 완연히 다른 모양으로 나타나고 있다.

차에 다시 올랐다. 시동을 거는 손에 힘이 없다. 그 다음 길로 들어섰다. 전혀 다른 세계, 전혀 다른 길과 동네가 나타난다. 갈 바를 완전히 잃어버렸다. 앞으로 달릴 수밖에 없다. 너무나 좁은 산골의 외길이라 이 커다란 밴을 돌릴 자신이 없다. 분명히 다른 길에 들어선 것을 알면서도, 방향감각을 완전히 잃은 채 끝없이 앞으로만 달려야 하는 그 심정을 어떻게 표현할 수가 있을까!

길가의 숲 속에 드문드문 집들이 보인다. 어둠 속에서 비쳐 오는 불빛, 창문에서 흐르는 불빛이 가족의 온화한 정겨움을 담아 함께 흐른다. 비오는 어둠 속, 길을 잃어 헤매는 초라한 나에게, 그 불빛은 부러움을 넘어 저려 오는 아픔이 된다. 불빛이 없는 나의 집 창문이 내 눈 안에 들어온다. 하늘 밑에 홀로 서 있는 것같이 나는 차 속에서 오스스 떤다.

가족! 오순도순 끊을래야 끊을 수 없는 사람과 사람 사이, 미워할 수 있는 사람, 싸움을 할 수 있는 사람, 좋아할 수 있는 사람, 돌보아줄 수 있는 사람, 갖가지의 감정을 살아 움직이게 하는 사람과 사람사이의 감정의 생동함을, 가슴 속에서 찬바람을 일으키며 그리워한다.

천천히 달리고 있는 내 차는 완전히 길을 잃고 만다.

"되돌아서야지."

환한 불빛이 보이는 남의 집 골목길에서 겨우 차를 돌려 되돌아 나왔다. 이때쯤 되면 나는 습관적으로, 황당하리만큼 당황하기 시작한다. stop 표지판을 한참 지나다 "어머! stop 표지판에서 stop을 안 했구나" 하고는 뒤늦게 길 가운데서 stop한다. 바로 그 찰라 길 건너쪽에서 무섭게 달려오던 차가 질겁을 하고 경음기를 있는 힘을 다해 누른다. "빵…!" 초긴장으로 내 차 옆을 아슬아슬하게 비키며 달려나갔다. 나는 완전히 혼비백산, 정신을 잃고 길 가운데 그대로 있었다. 겨우 정신을 차리고 후진에다 놓고 그 커다란 밴을 길 한가운데서 무조건 뒤쪽으로 몰아낸다. "하마터면…" 하는 놀라움이 가슴을 계속 두근거리게 한다.

"에라! 모르겠다, 어디든 가보자." 비가 내리는 미끄러운 길 위를 마음내키는 대로 차를 몰았다. 눈에 익은 그 다리의 울타리가 다시 나타난다.

"이 다리가 틀림 없는데…."

그 골목으로 다시 조심스레 들어간다. 어둠에 싸인 커다란 집들은 흉물스럽게 서 있고, 눈에 익은 홍집사님 댁은 전혀 안 보인다. 길 이름도 집 번호도 모르는 채 기억 속에 있는 집을 무작

정 찾아나섰던 것이 잘못이다. 길눈이 어두우면 준비성이라도 있든지, 모든 게 빈틈 투성이인 내 성격 탓이다.

"이걸 전해야 하는데."

편지 봉투를 내려다본다. 몰게지를 내는 수표가 들어 있는 봉투다. 내일이 마감 날이다. 이것을 우송하면 제 날짜에 도착할 수 없고 벌금이 너무 많다. 은행 옆에 공장이 있는 홍집사님께 부탁하러 온 것이다. 나는 그 은행이 어디 붙어 있는지 모른다. 뇌의 지각력에 구멍이 났는지, 모르는 길을 나섰다 하면 길을 잃는다. 매일 다니던 길도 다른 방향으로 올라오게 되면 "어머! 어머! 여기가 어디야" 하며 놀란 가슴으로 초긴장한다. 길 이름 표지판을 보고는 안도의 한숨을 쉰다. 내가 항상 다니던 길이다. 나 자신에 너무 어처구니가 없어 혼자서 씁쓸히 웃곤 했다. 빗방울이 차창을 마구 두들겨 댄다. 캄캄한 밖을 내다본다. 이제는 우리집을 찾아가는 방향도 잃어버렸다.

"이를 어쩌나."

울고만 싶다. 싶은 게 아니라 눈물이 뺨을 흘러내리며 나는 정작 울고 있는 것이었다.

한그루의 나무가 되게 하소서

흙 속에 뿌리를 내리고
흙 속의 정기를 빨아올려

하늘을 향해
하늘의 영광을 향해
가지를 뻗으며 자라는
한그루의 나무가 되게 하소서

제2주제 | 사랑

나는 피츠버그의 하늘을 봅니다

하늘을 사랑하고 숲을 사랑하며 사랑을 사랑했던 사람.

그 속에 나의 존재가 들어설 자리가 없다고 가슴을 아려했던 나는 이제야 깨닫는다.

사랑을 사랑했던 그 속에 내가 얼마나 귀한 사랑의 대상이었는가를…

어딘가에서 남편의 목소리가 들리는 것 같다.

멀리 어느 하늘 끝에서 아니 내 마음속 깊은 곳에서……

"꽃을 심어요. 그래야 새들이 모여든다오."

Leopard(표범)— 남편의 글에 덧붙여

나는 근육주사를 맞고 또 쓴 가루약 한 봉지를 먹고 난 뒤 얼굴을 찡그리며 쓴 입맛을 다시는데 의사선생님은 나를 진찰실로 데리고 간다. 책상 위에 있는 조그마한 항아리에서 박하사탕 한 개를 꺼내 입에 넣어준다.

의사선생님은 안경 너머로 나를 유심히 보면서

"그래, 3학년이라 했나?"

나는 입안에서 빨던 사탕 때문에 말은 못하고 머리만 끄덕인다. 이 시골 의사선생님은 내가 시골에 온 지 세번째 이 병원을 찾아 왔는데 나를 잘 알아보신다. 자그마한 체구에 온화한 얼굴을 가지신 퍽이나 자상하신 분이다.

"내가 손금을 한번 봐 줄까" 하시면서 의자에 앉으신 채로 나를 무릎 위에 앉히신다. 나의 조그마한 왼손을 펴서 손금을 열심히 보신다.

"여기의 생명선을 보니 오래도록 장수하겠습니다."

나의 왼손을 잡으신 채 어머니를 쳐다보며 계속 말씀하신다.

"죽을 고비를 꼭 두 번 넘기겠습니다."

어머니는 다소 당황하면서 "그러면 이번에 이 죽을 고비가 그 한 번에 해당합니까" 하고 다그쳐 물으신다.

의사 선생님은 나와 어머니를 번갈아 보시면서 "요번 기관지 폐렴이 그 죽을 고비의 한 번이 되는지 아니면 벌써 그 두 고비를 넘겼는지 아무도 모르지만 확실한 것은 죽을 고비를 두 번 넘기고 난 뒤, 오래오래 산다고 손금에 쓰여져 있습니다" 하시곤 나를 무릎에서 내려놓으시며 "그래 이제는 걱정 안 하셔도 됩니다."

어머니는 상기된 목소리로 "아참! 이애가 네 살 때 뽈치기(항아리 손님, 의학명 유행성 이하선염 mumps)를 했는데 그때는 온 식구가 다 이애가 죽는 줄 알았습니다."

어머니는 내 오른쪽 턱밑을 가리키며 "그때 큰 수술을 했던 흔적이 이 목 밑에 있습니다" 하시며 턱밑에 있는 큰 수술 자국을 의사에게 내보이신다.

몹시도 안타까워하는 어머니를 위로하려는 듯 내 두 손을 잡으면서 "그러면 이번으로 두 번의 죽을 고비를 다 넘겼겠는데…"라고 얼버무리며 고개를 돌려 어머니를 보신다.

"너무 걱정하지 마십시오. 이애는 이제 큰 병 없이 자라 오래오래 장수할 것입니다."

내 귓밥을 만지며 "이 귀를 보십시오. 복을 누리고 오래 살 겝니다." 의자에서 일어서며 걱정하는 어머니를 애써 위로하신다.

내가 어릴 적에 곧잘 원인 모를 병으로 거의 매일 까무러치며 쓰러졌고 바로 위 형을 3살 때 잃었기 때문에 병치레를 잘 하는 나를 어머니는 가슴을 조이며 키웠다. 말수가 적으시고 후덕한 인상을 주며, 인물이 고왔던 어머니는 내가 아플 때마다 품성과는 달리 몹시 안절부절하신다.

어른들이 주고받는 말을 들으며, '선생님요! 나는 아이들하고 뒷산 고목에 있는 벌집을 장대로 쑤셔대다가 머리와 어깨에 벌에 쏘여 죽을 뻔했고, 작년 여름에는 언덕에서 뒹굴다가 연필만큼 큰 지네한테 물려서 손등이 퉁퉁 부어 어머니가 쌀을 씹어 발라줬는데 그때도 죽을 뻔했지요' 라고 내 입에서 마구 튀어나오려는 말을 꿀꺽 삼키고, 마음속으로 덧붙여 말을 계속 한다.

'우리 이모님 댁에 큰 황소가 있었어요. 혼자 심심하면 그 황소한테 가서 장대로 쑤셔대며 못살게 굴었거든요. 그랬더니 아무도 없는 날 그 황소가 나를 치받아 아카시아 가시덤불에 처박아버렸지요. 그래서 나는 죽을 고비가 두 번이 아니라 열 번도 더 되니 오래오래 살겠네요.' 속으로 나 혼자 신나게 얘기했다.

의사는 나를 쳐다보면서 "똑똑하게 생겼는데 공부는 잘하나?" 물으며 어머니 쪽으로 머리를 돌린다.

나는 얼른 "우리 선생님이요 내 산수실력은 내가 3학년인데 우리학교 전체에서 나를 따라올 사람은 없다고 안 카는교오" 라고 어깨를 으쓱대며 말하고 또 계속해서 "나는 한문 천자문도 다 떼어 갑니더" 라는 말이 입에서 튀어나오려다, 지난 일년 동안 천자문을 쥐고 게을리하다 종아리를 수없이 맞은 생각이 스쳐 입을 꾹 다물고 어머니를 쳐다보았다.

어머니는 "제 학년에서 1.2등은 하는데 공부 잘하면 무얼 합니까?" 하신다.

"제발 병 없이 잘 커서 오래오래 살아야 되는데…."

머뭇거리다가 눈에 눈물을 글썽거리며 "하나밖에 없는 자식인데 말입니다" 하시면서 내 머리를 쓸어안으며 눈물을 흘리신다.

"How are you feeling?"

내 머리를 만지는 감각을 느끼며 눈을 뜨니 간호원이 내 머리를 들어 베개를 다시 정리해놓으며 인사를 한다.

내 침대 옆에 있는 인공호흡기는 증기기관차가 가파른 고갯길을 올라가는 숨가쁜 소리를 간헐적으로 내고 있으며 심장 수술 때 갈아넣은 인공 심장판막(artificial heart valve) 이 내는 쇳소리가 뚜렷이 내 귀에 들린다.

나의 입은 인공호흡기에 연결되어 있고, 코에는 위(stomach)로 통하는 튜브가 꽂혀 있으며 한 팔은 벽에 붙어 있는 심장 모니터에 연결되어 내 전신의 상태를 보여주고 있다. 또 한 팔에는 혈관주사가 연결되어 나는 꼼짝달싹할 수가 없다.

얼마 전에 맞은 진통제 약 기운 때문인지 몽롱한 의식상태에서 나는 꿈과 현실 그리고 과거와 현재 사이를 왔다갔다한다. 나는 다시 눈을 감으며 내 머리 속에 저장했던 그 옛날 일로 서서히 잠겨버렸다. 어머니와 의사의 얼굴이 다시금 떠올랐다.

의사는 어머니 얼굴을 피하며 내 눈을 빤히 쳐다보면서, "그래, 크면 네 아버지같이 정치가가 되고 싶냐?"

어머니는 손수건으로 눈물을 닦으시며 "정치가는 신물이 납니다" 하고 한숨을 쉬신다. "제 아버지가 신학교 나와서 서울에서 전도사로 일할 때 장래가 촉망되는 목사가 될 것이라고 해서 시집 왔는데…."

다소 머뭇거리시다가, "일제 밑에 있는 조국, 교회와 교인이 불쌍해서 이 이상 볼 수 없다며 독립운동에 뛰어 들었지 뭡니까" 하고 말을 이으신다.

"만주다 중국이다 조선 곳곳에 숨어 다니다 결국 일제 헌병에 잡혀 형무소에서 죽을 고생을 하였고 또 천식까지 걸려 그 뒷바라지를 하느라 얼마나 고생을 했는지 모릅니다."

"이애 큰 숙부는 독립 운동하다가 서대문 형무소에서 돌아가셨고 또 이애 고모도 중국 중경에서 돌아가셨습니다. 정치하다가 온 집안이 풍비박산되었는데 정치는 절대 안됩니다" 라고 하신다.

나는 얼른 "우리 이모님 집같이 시골에서 능금밭을 가꾸면서 살랍니다" 라고 하고 싶은데 어머니는 한번 더 "집안에 하나 밖에 없는 아들인데 정치는 절대 안됩니다" 라고 잘라 말하고는 손수건으로 눈물을 훔치신다.

눈을 뜨면 몰핀 진통제 주사로 내 눈에는, 녹두 꽃 같은 노란 꽃이 방구석마다 가득 피어 있고 노란 잠자리가 천천히 날아다니는데 손을 뻗으면 금방이라도 잡힐 것 같았다. 나는 오른손을 들어서 그 천천히 날아다니는 잠자리를 잡으려고 허우적거리는데 곁에 있던 간호원이 "Dr. Park! 손을 올리면 주사 바늘이 빠져요" 야단을 치며 내 손을 잡아 제자리에 놓는다.

나는 "저 — 잠자리" 말을 하려고 하는데 인공호흡기가 내 목구멍에 박혀 있어 말을 할 수가 없다. 힘없이 다시 눈을 감아 버린다.

내가 의과대학에 들어가서는 폐렴에 걸려 고생하였고 또 본과 1학년 때에는 너무 무리하게 공부하느라 초기 폐결핵으로 한동안 고생도 하였다. 그때마다 나는 내 손금을 보면서 지금 앓고 있는 것이 손금에 나타난 두 번의 죽을 고비 중 한 번이 아닌가 생각한 적도 한두 번이 아니었다.

손금을 보려고 왼손을 펴고 눈을 뜨는데 누가 머리맡에서 내 머리를 쓰다듬고 있다.

어머니같이 생긴 나의 아내가 미소를 띠며 내 왼손을 꼬옥 잡는다. "박상복 박사님이 조금 전에 왔다 가셨는데 이제 고비는 넘겼다 합니다."

"며칠만 더 참으세요" 내 귀에다 대고 부드럽게 말한다.

"그 동안 잘 견디었어요" 용기를 주고자 안타까이 격려한다.

또 통증이 엄습해 온다.

통증주사를 요구한다. 나는 통증주사를 맞고 "며칠이냐" 고 손으로 허공에다 글을 쓴다. 11월 12일이라고 아내가 대답한다.

벌써 11월 12일이라…, 10월 29일 밤에 들어와서 30일 새벽에 수술했고 그 다음날 너무나 경과가 좋았다. 병 문안 온 사람들과 이야기도 하고 침대 가에 앉기도 했는데….

내가 지금 Allegheny General Hospital에서 수술 받은 것(91년 10월 29일)은 10년 전만 하더라도 생각조차 할 수 없는 정말로 엄청난 수술이다.

흉부상대 대동맥 해리성 동맥류(심장에서 나가는 큰 동맥이 찢어지는 병)로 흉부 · 복부 · 대동맥을 지나서 장공동맥까지 찢어졌고 대동맥 판막부전으로 이 동맥 판막을 인공판막으로 갈아넣었다. 수술 후유증으로 급성 폐수증, 마비성 장폐성, 급성폐렴, 급성취장염, 심부전증은 물론이고 심낭에 피가 고여 링겔병으로 몇 병이나 빼내는 등 인체에 올 수 있는 거의 모든 후유증으로 죽음의 고비가 무수히 있었다.

나는 그때 창세기 32장 22절의 야곱의 심정이 되어 하나님께 부르짖었다. 얍복강 나루에서 야곱이 환도 뼈가 부러지도록 하나님께 매달려 '축복하지 아니하면 가게 하지 아니하겠나이다' 라고 매달렸듯이 나는 심장의 온 핏줄의 땅김을 당하면서 내 생명을 연장해줄 것을 부르짖었다.

나는 아직 해야 할 일이 너무 많다.

우리 할아버지를 이어 아버지대에 일어난 모든 일들을 소설로 밝혀 내는 것이다. 집안의 장손으로서의 책임의무를 넘어 나는 우리나라 역사가 우리 집안에 끼친 아니 우리 집안의 이야기가 곧 우리나라 역사임을 글로써 밝혀내야 한다는 숙명적인 강박관념을 떨쳐 버릴 수가 없었다.

눈을 뜨나 감으나 그때의 일들이 뇌리 속에 깊숙이 잠재하고 있었다. 나는 지난 어린 시절의 회상으로 되돌아가고 싶어 내 손을 꼬옥 쥐고 있는 아내는 못 본 체하고 그냥 눈을 감는다.

해방되기 전 1945년 6, 7월 무렵 부산에는 매일 밤 부산 근처 상공까지 미군기 (B-29)가 나타났으며 그럴 때마다 우리는 미숫가루, 건빵, 응급약 등이 들어 있는 배낭을 매고 산 속으로 숨곤 했다. 산 속에 숨어 있는 우리에게도 높이 뜬 미군비행기 소리가 들렸다.

당시 아버지는 불순한 조선인 (독립운동가)으로 낙인 찍혀 있었기 때문에 매일 일본 고등계 형사가 우리집을 찾았고 또 아버지는 매일 경찰서에 가서 하루 일과를 보고하지 않으면 안 되었다.

어느 날 한인 고등계 형사가 어머니를 찾아 "일본은 얼마 있지 않아 망합니다" 하고는 더욱 소리를 죽이며 "그 전에 애국지사들을 수용소에 가둬다가 죽일 겁니다" 라고 조심스레 귀띔해 주었다.

우리는 7월 장날, 남의 눈을 피해 필요한 가재도구와 이불보따리를 챙겨 장대 같은 비가 오는 새벽에 기차를 타고 대구 근처에 사는 이모님 댁을 향해 피난을 갔다.

이모님 댁은 사과밭을 갖고 있는 부농이었다. 한밤중에 대구 위에 있는 시동 역에 내려서 달구지를 타고 가는데, 시골 능금밭 이모님댁은 10리라 하지만 내가 보기에는 15리도 더 되는 것 같았다. 이 산성고개를 넘는 중간에 문둥이 마을이 있었고, 보리가 익을 때면 문둥이가 나와 보리밭에서 아이들 간을 내어 먹는다는 이야기를 들었다. 나는 으시시 무서워 오는 기분을 이불을 푹 뒤집어쓰고 막았다.

겨우 능금밭이 눈앞에 나타났을 때 참으로 반갑고 고마웠다. 미리 오신 아버지는 이모님댁에서 피난살이를 할 동안, 모습을 감추기 위해 밀짚모자를 푹 눌러쓰고 원두막에서 숨어 사셨다. 해방되는 날, 이모님댁 마당에 온 동네 사람들이 모여 있는데, 아버지는 회색 무명두루마기로 갈아입고 까만 색 가방을 들고 계셨다. 몰려오는 동네사람들과 일일이 인사를 하는 아버지의 그처럼 밝게 웃으시는 모습을 나는 처음 보았다.

훤칠한 키에 단단한 체구, 새까맣고 굵게 일자로 그어진 눈썹, 눈빛은 강하고 우뚝 솟은 코는 강한 의지를 보여주는 모습이었다.

가까이할 수 없는 엄한 아버지의 모습이었으나 실제로는 자상하고 따뜻한 정을 가끔 느낄 수 있었다. 깊은 마음속에서 우러나

오는 자랑스런 아버지를 멀치감치에서 우러러보았다.

아버지는 쏜살같이 마을 고개를 넘어 50리 대구로 거쳐 서울로 간지 1년 반이 넘도록 오시지 않았다. 그래서 우리는 시골에서 1년 반 이상 계속 살았다.

지금 내 손금을 보아준 의사 선생님은 우리 마을에서 시골길 10리 이상을 가야 만날 수 있는 유일한 의사였다. 이 의사 선생님은 부산 동래에서 개업하고 있는 우리 숙부와 동년배인데 나이는 더 들어 보이고 참 친절하신 분이었다고 생각된다.

나는 조금 전 내 기억들의 Film을 보고 있는데 다른 장면이 나온다. 전도사를 하는 작은 이모님이 "너는 우리 집에서 이단이다" 하며 꾸중한다. "너는 성경을 그냥 믿으면 되는 데 응! 우째 그래 자꾸 따지노" 하시면서 화를 낸다.

"이모야! 나는 이모같이 그렇게 성경을 못 믿는다. 우째 하나님이 이렇게 어렵게 성경을 썼노? 또 말이 안 되는 것이 너무 많다."

이모가 나를 째려보며 "저녀석 말하는 것 좀 봐라" 하는데 외할머님이 "그대로 그냥 놓아두어라. 지가 언젠가는 깨달을 것이다" 하시면서 외장손인 나의 손을 잡으신다.

"네 할아버지는 나이 많아서 예수 님을 영접하셨다. 그래 너는 의심이 많은 아이다. 무조건 믿는 것보다 낫다."

할머니는 딸만 셋을 두셨다. 우리 어머니는 첫째 딸이고 나는 장남이니 외가 집에서도 장손이 된다. 첫째 딸이 고생하는 것을 보고 몹시 마음 아파하시며 나를 많이 귀여워해주셨다.

“저 녀석이 꼭 형부를 닮아서 큰 탈이다. 일본에서 공부하고 신학교를 나와 전도사가 되더니 목사만 하면 되지 왜 독립운동을 하는지 나는 모르겠다.”

“목사는 주님만 섬기고 양떼를 잘 인도하면 됐지 독립운동 한다고 만주에서부터 중국 온 천지를 다니며 왜 언니와 자식들을 이렇게 고생만 시키노.”

이모는 자기 큰언니가 옛날 대구 신명고녀를 나와 신식 멋쟁이 였는데 이렇게 고생하는 것을 보며 우리 아버지를 아주 못마땅하게 생각하여 그 불똥이 항상 나에게 튀었다.

간호원이 와서 튜브에서 피를 뽑아 불빛에 비추는 것을 보니 저녁인가 싶다. 아직도 잠자리는 내 눈앞에서 허우적거리고 이상하게 생긴 곤충들이 벽으로 올라가고 있으나, 나는 다시 눈을 감는다.

나는 조금 전 보았던 내 추억 속의 Film을 다시 보려 하는데 석유 남포가 희미하게 비친다. 외할아버지는 교회에서 새벽 예배에 오는 사람들을 난로 가에 앉게 한다. 흰 두루마기를 입은 외할아버지는 단상을 두드리며 찬송가을 부르고, 전도사인 작은 이모는 풍금을 치고 있다. 어머님은 내 뒤에 앉아서 나를 뒤로 안고 기도를 드린다. 어머님은 “항상 건강하고 담대하고 지혜가 풍성한 아이로 커 가게 해 달라”고 간곡하게 기도를 드린다.

그런데, 누가 나를 가만히 만져서 눈을 뜨니 목욕시키려고 간호원 두 명이 서 있다. 현실로 돌아오니 타는 듯한 갈증과 통증이 엄습해 온다. 나는 꼼짝도 하기 싫다. 조금만 움직여도 수술자리와 곳곳마다 꽂혀 있는 튜브로 인해 말할 수 없는 통증이 오기 때문이다. 나는 이 고통을 잊으려고 파도같이 밀려드는 지난 추억에 또 파묻혀 들어간다.

해방이 되던 해 호열자가 유행해 많은 사람이 죽어 갔다. 가뭄 또한 심해 논이 짝짝 갈라지면서 볏모뿐만 아니라 논두렁에 큰 풀도 다 말라죽었고 호박넝쿨에 호박도 열리지 않았다. 그래서 우리식구들은 아침에 보리죽들 먹고 점심은 굶어야 했다. 나는 십리 길도 더 되는 시골학교에 허기진 배를 쥐고 걸어 다녔다. 학교에 가는 길에 큰 내가 두 개 있었는데 이 내가 다 말라붙어 걸어서 다닐 수가 있었다. 하지만 나는, 선생님한테서 산수를 제일 잘한다고 칭찬받는 것이 너무도 신나서, 허기진 배나 걸어다니는 고통도 대수롭지가 않았다.

내가 육학년 때에 6.25 가 터졌다. 그 당시 신문사 사장을 하시던 아버님이 이북에 납치되고 또 어려움이 들이닥쳤다. 위로 두 누님이 있었지만 아버지가 안 계신 집안을 내가 도와야 겠다는 책임감을 느꼈다. 수탉 한 마리와 서너 마리의 암탉을 키워 열심히 모이와 물을 갖다주고 암탉이 낳은 알을 모았다. 학교 가기 전 모이를 주고 학교 갔다 오자마자 나는 닭장으로 뛰어갔다. 어느 날 "엄마아! 계란 하나가 없어졌다아" 하고 고함치는 나를 어머니는 기가 막힌 표정으로 쳐다보셨다. 어떻게 저렇게 신통하게 알아맞히나 싶으셔서일 게다. 나는 학교 가기 전 닭 밑을 탁탁 두드려 딱딱한 감촉을 느끼면 "이 놈이 오늘 알을 낳겠구나" 하고 미리 알 수 있었기 때문이다.

또 중학생이면서도 어른들과 함께 부둣가에서 무거운 짐을 나르는 일을 했다. 그때에도 몸집이 아주 좋았고 동네에서 힘깨나 쓰는, 싸우면 지는 적이 없는 아이였다. 아령과 줄 뛰기로 몸을 단련시켰다. 나는 어른이 쓰는 모자를 깊숙이 내려쓰고 어른 몫의 일을 거뜬히 해치웠다. 친구들과 함께 목판을 메고 빵장사도 했는데 잘 팔리지를 않아 파는 것보담 먹어버리는 것이 더 많아 얼마 못하고 치워 버렸다. 나는 장남의 책임을 강하게 느껴 누가 시키지 않아도 어머니 몰래 솔선해서 생계 일선에 나가서 일하곤 했다.

작은 이모님은 "6,25는 하나님의 섭리이다" 라는 말을 입버릇처럼 했다. 온 식구가 저녁을 같이 먹고 있는데 이모는 또 이 말을 한다. 나는 너무도 화가 치밀어 밥숟가락을 팽개치고 방문을 확 열고 나간다.

"이모는 몰라도 너무 모른다."

"6.25는 김일성이가 소련의 힘을 업고 전쟁을 일으켰다."

"하나님이 아니고 김일성이다아."

"하나님이 김일성이 더러 우리 아버지 잡아가게 했나? 그리고 우리를 이렇게 고생시켰나?"

계속 고함을 치면서 마당으로 뛰쳐나가는데, "저 녀석 보래 꼭

지아버지 성질 같네" 한탄하는 이모의 목소리가 뒤따랐다.

영상이 흔들리는 듯하더니 간곡히 기도하는 어머님의 모습이 보이면서 다시 산이 보이다가 최고봉인 킬리만자로 그 산꼭대기 눈 속에서 산양을 잡는 표범이 보인다.

'킬만 (Masni) 그토록 높은 곳에 무엇을 찾아 헤맸는지
그것은 아무도 모른다'

이 글은 헤망웨아 소설「킬리만자로(kilimanjaro)의 눈」서두에 나오는 말이다.

내가 미국에 온 지 26년이 넘도록 이 글이 문득문득 생각난다. 표범(Leopard)은 아프리카 대륙 그 넓은 세렌게티(Serengeti plan) 나무 위에 올라서 산양이나 노루, 얼룩말 등의 동물을 날쌔게 잡아서 나무 위에 숨겨 놓고 사는 짐승이다. 이 소설의 표범은 헤밍웨이가 가상으로 꾸며 낸 가상의 표범이 아니고 1920년대의 현대인들이 실재로 발견한 Reusch라는 실재의 표범이다. 킬리만자로 산꼭대기에까지 가서 눈 덮인 분화구에 빠져 죽은 표범이 꼭 내 신세 같다고 생각된다. 무엇 때문에? 왜? 그 표범은 산꼭대기로 올라갔을까? 정말 나 같이 방향 감각을 잃은, 나와 같은 표범일까? 나는 집안의 장남이자 장손으로서 친구도 친척도 그리고 고향산천도 버리고 이 미국까지 와서 도대체 무엇을 찾아 이리도 헤매고 있는지….

나는 밤에 혼자 일어나서 이 질문에 부딪쳐 고민한 적이 너무도 많았다. 눈에 보이지 않는 하나님의 인도에 의하여 이곳에 와 있다고 생각하면서도, 나는 어떤 존재이며 무슨 이유로 이 미국 땅 그 중에서도 이 피츠버그에서 살게 되었는가? 하는 의문이 가슴을 짓눌러 답답한 가슴이 풀리지 않았다.

내가 이곳에 있을 수밖에 없는 실존의 의미를 찾지 않고서는 견딜 수가 없었다. 그래서 나는 하나님께 매달리며……

여기서 남편의 글은 끝나고 있었다.

오른쪽 팔다리가 약해지니 병원에 가보자고, 드라이브웨이까지 걸어가 차를 타고 병원에 간 그날, 그이의 마지막 길이 되고 말았다.(1월 10일,1996년)

남편과 나는 둘이서 나란히 앉아 곧잘 글을 썼다. 서로 쓴 것을 읽어 주기도 하고 서로 고쳐 주기도 했다. 햇살이 잘 드는 방, 남편이 앉는 자리와 내가 앉는 자리는 항상 정해져 있었다.

나는 남편의 마지막 사진을 크게 확대해서 남편의 자리에 놓아두었다. 깨알 같이 그리고 흐려 쓴 이 마지막 원고를 정리하기 위해 커다란 확대기로 보며 한 자 한 자 적어 내려갔다.

나는 남편의 사진을 보며 "이렇게 당신이 쓰려고 했나요?" 자주자주 중간중간 물어 보았다. 활달하면서도 섬세하고 너무도 꼼꼼한 성격의 남편이라, 나는 자주 물어보고 그의 의도에 착오 없도록 온갖 정성을 기울였다.

마지막이 되기 전 날 여느 때와 같이 둘이서 아주 늦게 저녁을 먹었었다. 남편이 옛날 일들을 열심히 얘기하면 나는 열심히 귀담아 듣곤 했다.

"작은 이모한테 많이 대들었지만 결국은 모든 게 하나님의 뜻이란 걸 이제서야 깨달았어."

"킬리만자로의 표범처럼 산꼭대기에서 이 이상 헤매지 않고 표범이 살아야 하는 산 중턱으로 내려와야겠어."

평온한 마음으로 과거로부터 현재의 자기 심정을 그 두 말로 깊이 있게 표현하는 남편의 얼굴을 나는 가만히 올려다보았다.

서너 달 전부터, 새벽 4시면 일어나 샤워를 하고 하얗게 내린 미끄러운 눈길도 마다 않고 매일 새벽기도를 열심히 나가던 남편.

무엇을 그렇게도 열심히 하나님께 고했을까?

아들 둘을 불러와 같이 있고 싶어하던 남편, 미처 못한 아빠노릇이라고 생각했던 노루사냥, 낚시로 아들을 데려가곤 하던 남편, 아빠한테 야단 맞고 시무룩한 막내아들이 아빠 곁으로 돌아왔을 때 기도의 응답이라며 온 마음으로 반기며 두 아들을 양쪽에 앉히고 한없이 대견해 하던 남편! 아내와 아들 둘을 한 품에 포근히 감싸주1996년며 12월31일을 교회에서 송년예배로 보내고, 새해의 아침을 경건히 맞이하던 남편!

10일 후인 1월 10일이 이 땅에서 마지막이란 것을 예견이라도 했을까…?

눈보라가 무섭게 휘몰아 치는 날(96년 1월 13일) 남편이 입버릇처럼 되뇌이던 킬리만자로의 표범처럼 눈이 하얗게 뒤덮인 산꼭대기에 남편의 몸은 묻혔다.

모든 사람들에게 내 남편 박의정은 이세상에서 없어진 사람이 되었지만, 나에게 너무도 귀하고 소중한 사람, 내 생명 다 하는 그날까지 이 땅에서도 나와 함께 생생히 살아가리라.

소망

주님!
저에게 평강을 주셨고
하늘 우러러
주님을 바라볼 수 있는
복된 눈을 주셨습니다

견우와 직녀
못 다한 사랑을
하늘 우러러 얘기합니다

그 나라 하늘에는
사랑하는 님이 있고
만날 수 있는 소망이
제 가슴을 울렁이게 합니다

사망에서 부활로
건너간 님은
광채 빛 흰 옷 입고
저를 지켜봐 줍니다

끝없이 흐르는 눈물도
손등으로 가만가만 닦아주고
기쁨의 재회를
제 귀에 속삭여 줍니다

미국의 민요 작가 포스터와 나의 남편

눈이 내린다.

포스터가 그리도 좋아했다던 알레게니 강을 끼고 나는 차를 천천히 몰고 간다. 하늘이 내려앉을 듯 쏟아지는 눈발이 흔적도 없이 강물 속으로 사라진다.

검푸른 강물이 넘실거린다.

넘실거리는 강의 물결 속에다 목을 길게 빼고 나는, 눈과 함께 이세상을 떠난 남편의 목소리를 찾는다.

“여보! 오늘 날씨도 좋으니 드라이브하러 나가자. 오는 길에 약수도 길어오게.”

남편의 밝은 목소리가 밖에서 들렸다. 휴일인데도 아침 일찍 일어나 바깥뜰을 손질하고 있었나 보다.

늦게까지 침대에 누워 늦장을 좀 부려볼까 하던 나는, 남편의 재촉에 마지못해 일어났다. 지하실과 아래위층을 뛰어다니며 빈 물통을 모조리 챙겼다. 차 트렁크에 빈 물통을 가득 넣고 우리집

귀염둥이 태리도 차에 태우고 약수터를 향했다.

가는 길은, 맑은 날씨에 하늘은 더 높고 푸르기만 했다.

오랜만에 우리는 일에서 빠져 나와 상쾌한 마음으로 차를 달리고 있었다. 라디오를 틀자마자 아름다운 스테판 포스터의 노래가 흘러 나왔다.

바닷가 멀리 들려오는／내 노래 소리를 들어보라

"꿈길에서" 노래를 따라 그 동안 잊고 있었던 저 멀리 내 나라 내 고향으로 온 마음이 날아가고 있었다.

"오늘은 기분 좋게 드라이브하라고 우리가 좋아하는 노래만 들려주네." 들뜬 목소리로 나는 남편을 쳐다보며 말했다.

추억을 가득 담은 포스터의 선율은 우리들의 마음을 몹시도 가까이 하며 옛날로 흘려보냈다. 30여 년 전, 우리는 젊고 아름답고 패기에 찼고 너무도 서로 사랑했었다. 죽을 때까지 변함없이 사랑하며 살아갈 줄 알았더니 살아가다 보니 어느새 '너' 위주의 마음이 '나' 위주로 바뀌면서 '죽도록 사랑했던 마음' 까지도 다 잊어버렸다.

함께 살아가면서 좋아도 하고 미워도 하고 싸움도 하고 원망도 하면서 지냈다. 그런데 이 포스터의 노래가 우리들의 아름다웠던 추억을 실어다 주었다. 그 추억들은 엉키고 부서진 마음을 바로세우며, 가슴 저 밑바닥에 움츠려 있던 사랑의 씨앗을 움틔

우고 싹을 틔워 화사한 꽃을 피우게 했다.

하이웨이를 지나 시골길을 들어서는데, 양쪽으로 펼쳐지는 싱그러운 초록색의 잔디밭은 끝없이 이어져가고, 중간중간 서 있는 나무도 해맑은 색깔로 싱싱히 하늘을 향해 뻗어 나가고 있었다.

"우리가 드라이브를 하는 줄 아나 보지, 계속 우리가 좋아하는 노래를 들려주는 걸 보니."

했던 말을 되풀이하면서 혼자 신나서 지껄이는 나를 남편은 힐끗 쳐다보았다.

"오늘이 무슨 날인 줄 알아?"

"무슨 날이긴. 7월 4일, 미국의 독립일이지요."

"포스터가 어디 사람이지?"

"그야 켄터키 사람이겠죠?"

'켄터키 옛집에 햇빛 비치어' 란 가사를 생각하며 자신 있게 대답했다.

"포스터는 말이지 피츠버그 출생이야, 당~ 신~ 은~ 몰~ 랐~지?" 장난기가 가득 찬 얼굴로 나를 쳐다보았다.

내가 모르는 것을 알아내는데 희열을 느끼며 으스대는 남편이 나는 더 재미가 있었다.

"사실은, 당신뿐만 아니라 많은 사람들이 모르고 있더라고…."

말을 덧붙여 남편은 설명했다.

"오늘이 미국 독립일이자 스테판 포스터의 생일이야, 그래서 하루종일 포스터 곡을 라디오 방송국에서 들려주는 걸 거야."

스테판이 피츠버그 사람이라 하니 같은 고향 사람이라도 되는 것같이 반가웠다.

피츠버그에서 약 3시간 남쪽에 있는 약수터 가까이 우리는 가고 있었다. 나지막한 계곡 아래에는 맑은 물이 돌을 씻어가며 흐르고 있었다.

"저기 물 속에 있는 저 돌 좀 봐!"

손가락으로 가리키는 물 속에, 흐르는 물에 깎여 반들반들한 예쁜 돌들이 많이 있었다.

"집에 갈 때 돌 몇 개 주워가자 응."

내 얼굴을 쳐다 보며 말했다.

"괜히 공원의 돌을 훔치다 봉변 당하려고…."

나는 고개를 가로 저었다.

우리는 차에서 내려 그 많은 빈 물통을 내려놓았다. 나는 물병 하나하나 맑은 물에 헹궜다. 손이 시리도록 찬 물이 수도꼭지를 통해 쏟아져 나왔다. 남편은 그 물병들을 가득가득 채워 나갔다. 이 약수터를 알고 난 뒤 우리는 비가 오나 눈이 오나 이 약수 물을 길어 왔다.

집에서의 일이었다.

남편은 하얀 털북숭이 개 태리에게 물을 그릇 가득히 부어준다. "태리야! 이건 약수 물이야 많이 먹고 오래 살아야한다 응!"

옆에 서 있던 나는 불평을 했다.

"길어오기 힘든 물을 왜 개한테까지 주고 그래요?"

혓바닥으로 가장자리에 물을 튀겨가며 열심히 빨아들이는 태리 옆에 쭈그리고 앉아 쳐다보느라고 남편은 내 말을 귓전으로 흘려 버리곤 했다.

나는 그러던 남편의 모습이 생각나서 긷던 물을 멈추고 차안에 있는 태리를 불러냈다. 차안에 갇혀 있던 태리가 문을 열어주자 신이 나서 뛰어내렸다. 나는 태리 물그릇에 물을 철철 넘치게 부어주었다.

"태리야! 이 약수 물은 길어오기 힘드니 여기서 싫컷 먹고 가자 응."

우리는 물통을 가득 채운 후, 꼬불거리는 산길을 따라 산 정상까지 올라가며 남편이 들려주는 스테판의 이야기를 듣고 있었다.

그리운 날 옛날은 지나가고／들에 놀던 동무 간 곳 없으니…

진하게 가슴에 와 닿는 포스터의 노래!

1년 전, 남편과 약수터에 다녀온 일을 나는 마치 어제 일어난 일처럼 회상하고 있다. 알레게니 강의 넘치도록 흐르는 물결에 스테판 포스터의 음률과 남편의 얼굴이 뒤섞여 아름다운 추억으로 물결치며 흐른다.

남편은 스테판의 이야기를 시작했다.

"스테판의 할아버지는 아일랜드에서 이민 와서 피츠버그에 정착한 사람이래. 그의 집안은 피츠버그에서 귀족적인 가문에 속한 집안이고, 아버지는 부지런한 사람이었지만, 한가지 일에 오래 종사하지 못하고 사업의 판단력과 현실적인 안목이 없어 온 가족을 궁핍한 지경으로 몰고 가기도 했더래. 그렇지만 아주 애국심도 강해서 가산을 털어 나라를 돕기도 하고 나중에는 피츠버그 시장의 보좌관까지도 했다고 전해 내려오지."

"1826년 7월4일 낮 12시 30분에 온 미국이 독립의 환호 속에 들끓고 있을 때, 아버지는 6명의 아들, 딸과 피크닉 테이블에 둘러앉아 '양키 두둘' 의 노래를 목청껏 부르며 독립의 열광 속에 있었어. 그때 식모인 조그마한 흑인애가 숨이 턱에 닿도록 언덕 위에서 굴러 내려왔대. 일곱번째 아이인 스테판 포스터의 출생을 알리려 온 것이었어. 그렇게 해서 미국의 독립일과 함께 미국의 민요작가가 탄생하게 되었지."

"그리고 스테판은 아주 어릴 적부터 음률에 민감했었대."

남편은 스테판의 이야기를 상세히 이어나갔다.

"흑인 식모 소녀가 흥얼거리는 흑인애가를 주의 깊게 듣고 금방 외워 같이 부르곤 했었대. 흑인교회의 찬송가를 흥미진진하게 들었고, 어린 흑인 식모에게 주일마다 같이 교회에 데려가 주기를 몹시 조르곤 했었대. 흑인들이, 고통과 일의 고달픔을, 그들의 기원을 즉흥적인 가사를 붙여 온몸을 흔들면서 혼신을 다해 노래로써 하소연하는 흑인애가를 어린 가슴속으로 빨아들였어. 그것이 후에 흑인애가의 시발점이 되어 Christy-Minstrels (흑인으로 분장하여 흑인의 노래를 부르며 순회공연 하는 악단)의 노래를 작곡하고 또한 미국의 민요 작가가 되었다고 볼 수 있지. 스테판은 서로 사랑하는 가족 속에서 행복했고 늘상 꿈 속에 살았더래. 자연 속에 빨려들어가 개울가에 엎드려 물소리에 귀 기울이고 숲 속에서 새의 지저귀임에 노래소리를 듣고…. 스테판의 머리는 아니 그의 세계는 온통 음률로써 꽉 차 있었는지도 몰라. 그렇지만 그는 규율적인 단체 생활을 견디지 못해 학교도 이리저리 옮겨야 하는 고통을 겪어야만 했었지. 기존의 사고방식에서 볼 땐 문제아로 볼 수 있으나 그는 자연인이요, 천성이 타고난 예술인이었다고 나는 생각해."

"그는 어릴 때부터 강에 내려가 스팀보트가 물살을 헤치고 독(Dock)에 닿으면 흑인들이 목화나 옥수수의 무거운 짐을 내리면서 부르는 노래를, 벤죠를 무릎에 놓고 부르는 노래를, 듣기 좋아했어. 그래서 그는 발을 쾅쾅 구르고 손뼉을 치며 노래를 더 불러 주기를 조르곤 했대. 스테판은 강을 사랑했고 스팀보트의 소리를 좋아했고, 그 당시 개척지인 캘리포니아 서쪽으로 떠나는 우마차들의 뛰는 말발굽의 소리도 정확한 박자의 음률로 그의 귀에 들리곤 했더래."

피츠버그에는 북쪽에서 내려오는 알레게니 강과 동쪽에서 흐르는 모난게해라 강이 합쳐서 오하이오 강을 만들어 내려가 이 세 개의 강들이 피츠버그를 맴돌아 더욱 아름답게 보이게 한다.

어느 날이던가, 남편이 한아름의 책들을 가지고 와 나에게 내밀었다. 눈을 둥그렇게 뜨고 남편을 쳐다보며 물었다.

"이게 무슨 책들인데…?"

"포스터의 일대기인데 당신 보라고 도서실에서 빌려왔어."

안고 있는 한아름의 책과 나를 보며,

"포스터가 피츠버그 사람인줄 모르는 사람이 많으니 이 책들을 보고 글을 쓰라고…."

빙긋이 웃고 돌아서면서,

"사실은 묘지를 찍은 사진은 당신이 글을 쓰면 그 위에 붙여주려고 그랬어."

며칠 후, 스테판의 묘지를 보여주겠다며 차를 타고 같이 가자고 했다. 피츠버그 시내에서 멀지 않은 벗트러 스트릿트에 웅장하게 세워 진 돌로 만든 정문을 들어섰다. 오른 쪽에는 셀 수 없이 많은 작은 성조기가 꽃처럼 심어져 있고 공원처럼 꾸며진 잔디밭이 눈앞에 펼쳐졌다.

"여기가 스테판 포스터의 묘지가 있는 곳이야. 저번에 몇 번 태리를 데리고 왔더랬어, 사진도 많이 찍었는데 그때마다 해가 조금 그 자리를 비켜버려 다시 한번 더 찍어야 될 것 같아."

아름다운 숲 속, 언덕 비스듬히 포스터의 가족묘지에 빨강 제라니윰이 심겨져있고 엉성히 난 잡풀들이 있어 손으로 뽑으니 그의 아름다운 노래가 마음속으로 흘렀다.

집으로 돌아오는 길에 남편은 말했다.

"다음에는 스테판의 생가도 보여주지. 생가도 우리 가게에서 얼마 멀지 않아."

포스터의 생가를 보여주겠다던 남편은 약속도 못 지키고 이세상을 떠났다.

무엇이 남편을 스테판 포스터에게 그토록 관심을 갖게 했을까? 영혼의 서러움을 끌어올리는 스테판의 선율이었을까? 아니면 고독과 빈곤으로 끝나버린 스테판의 생애에 대한 연민이었을까…?

나는 남편이 빌려다준 책을 다 읽지 못해서 남편이 떠난 후 다시 도서관에서 빌려와서 하나하나 읽기 시작했다. 스테판의 일대기를 읽는 동안 나는 남편의 마음도 같이 읽는 것 같았다. 그리고 우리들이 즐겨 부르는 곡이 어떻게 해서 지어졌는가도 알게 되었다.

멀고먼 알라바마 나의 고향은 그곳
벤죠를 메고 나는 너를 찾아왔노라

"오! 수산나" 노래는, 따분한 일에 진력이 난 스테판이, 창문을 통해 바라보이는 강에 넋을 놓고 바라보다 스팀보트가 퉁퉁거리며 미끄러져 들어오고, 벤죠를 메고 내리는 흑인들을 보고 즉흥적으로 만든 노래였다. 이 곡은 원고료도 받지 않은 첫 출판물이었고, 그때 그의 나이는 19살, 회사에 북케어로 일했던 시기였다고 했다.

"어느 강이었을까?" 잔물결이 이는 강을 보며 생각한다.

"벤죠를 메고 내리던 강이…."

200여 곡이 넘는 노래를 작곡했고 그 당시에만 널리 알려져 부를 것이라고 생각했던 노래가 오늘날까지 전세계가 애송할 것이라고는 아무도 생각지도 못했다는 스테판의 곡.

예민하고 잘생긴 얼굴에 커다란 갈색 눈을 가지고 있고 나이보담 신체가 작은 편이었다는 스테판을 그려본다. 가족과 친구를 사랑했던 사람, 가정을 중심으로 서정적이고 아름다운 노래들을 작곡한 사람을….

브라운 색깔의 머리털을 가진 부유한 집 딸, 어여쁜 제니와 결혼, 젊은 변호사인 경쟁자를 물리치고 결혼에 성공했을 때의 감격,딸 매리안을 낳고 더 좋은 곡을 지으려는 강박관념에 시달렸던 스테판, 히트 곡을 만들지 못해 고민하던 작곡가, 감정은 점점 우울해져가고 경제적으로도 어려워져갔던 처절한 심경의 예술가, 무거운 발걸음을 뉴욕으로 향했던 스테판, 뉴욕에서 비참하리만큼 우울해져 가던 사람을….

한 송이 들국화 같은 제니／바람에 금발 나부끼면서／오늘도 예쁜 미소를 보내며／굽이치는 강 언덕 달려오네／구슬 같은 제니의 노래 소리에／작은 새도 가지에서 노래해／한 송이 들국화 같은 제니／금발머리 나부끼며 웃음 짓네.

제니가 딸 메리안을 데리고 남편을 찾아 뉴욕을 가서 다시 만났을 때 너무도 기쁘고 행복한 가운데서 작사 작곡한 노래 "금발의 제니". 뉴욕의 행복한 생활도 오래가지 못하고 제니는 다시 딸을 데리고 피츠버그로 돌아가버렸다. 그는 항상 회사에서 월급을 가불해 왔고 경제적으로 많은 곤란을 받아왔다. 도움을 청할 때마다 형들이 언제나 도와주곤 했다. 제니가 떠나버린 텅 빈 아파트에서 스테판은 심한 향수병에 걸렸다. 이때에 행복했던 시절, 젊었을 때 친척집이 있는 켄터키에서 보냈던 시절을 회상하면서 지은 곡이 '켄터키 옛집' 이다.

켄터키 옛집에 햇빛 비치어／여름날 검둥이 시절,／저 새는 긴 날을 노래 부를 때／옥수수는 벌써 익었다／마루를 구르며 노는 어린 것／세상을 모르고 노니 .

그 시절에 지은 또 하나의 노래는 사랑하는 제니를 찾아갈 때마다 제니의 몸종인 늙은 흑인의 친절하고 상냥한, 블랙죠를 생각하며 지은 "올드 블랙죠" 다.

그리운 날 옛날은 지나가고 ／들에 놀던 동무 간 곳 없으니 ／이 세상에 낙원은 어디이뇨／불렉죠 널 부르는 소리 슬퍼서／나 홀로 머리를 숙이고서 가노니／불렉죠 널 부르는 소리 그립다.

스테판이 죽을 때 그의 주머니에는 38센트와 5페니만 있었고, 뉴욕의 어느 자선병원에서는 아무도 그가 유명한 작곡가인 줄 모르고 한사람의 걸인인 줄 알았었다. 드볼작의 신세계(심포니 #9)도 포스터의 곡에 깊은 감명을 받고 그의 음률을 본떠 지은 곡이었다고 한다.

그의 유품은 입고 있던 옷과 악보도 살 수 없어 누런 종이 봉투에다 "친애하는 친구와 사랑하는 마음(Dear friends and gentle hearts)"이라고 곡목만 쓰여 있었다. 1860년서부터 1864년 그가 운명하기 전 4년 간 그는 술을 마시며 빈곤 속에서 방랑아 생활을 했다. 그의 부음을 받고 그의 아내와 딸 그리고 항상 경제적으로 도와주었던 3살 위의 형인 Morrison이 부리나케 뛰어가 병원비를 치르고 그를 피츠버그 가족묘지에 안장시켰다. 사망 후 그의 아파트에서 생전에 발표되지 않은 곡 "꿈길에서"가 발견되었다고 한다.

아름다운 꿈 깨어나서／하늘의 별빛을 바라 보라,
한갓 헛되이 꿈은 지나／이 맘에 남 모를 허공 있네,
꿈길에 보는 나의 귀여운 벗／들어주게 나의 고운 노래
부질없었던 근심, 걱정／다 함께 사라져 물러가면
벗이여 꿈 깨어 내게 오라

나는 강가를 따라 계속 차를 서서히 운전하며 간다. 마지막이 되어버린 남편의 부탁인 포스터의 이야기를 써야 한다는 집념이 나를 일으켜 세웠다. 책을 읽고 난 다음 다시 한번 더 묘지의 정문을 들어선다. 갔던 길을 기억 속에서 더듬으며 굽어진 언덕길을 올라간다. 눈으로 덮인 아름다운 숲 속, 언덕 비스듬히 포스터의 가족묘지에 조화의 빨간 제라니움이 눈 속에 겨우 고개를 내밀고 있다.

눈이 무섭게 퍼붓는 96년 1월 8일 세인트 프랜시스 병원을 향해 달리는 내 차는 길이 미끄러워 굼뱅이 보다 더 느리게 가고 있었다. 눈이 수북히 쌓인 드라이브웨이를 걸어서 차를 탄 남편은 기어를 이리저리 바꾸라며 일러주기도 했다. 몹시 지쳐 가는 남편을 옆 눈길로 흘낏흘낏 주시하면서 있는 힘을 다해 차를 몰았다.

"병원 응급실은 어느 쪽이제?"

병원 건물 앞에 도착 한 나는 다급한 목소리로 물었다.

그는 묻는 나에게 말도 없이 손가락으로 오른쪽을 가리켰다. 이것을 마지막으로 남편은 영영 내 곁을 떠나 버리고 말았다.

나는 포스터의 묘지에서 나왔다. 어느 결에 내 차는 그 응급실을 향하고 있다. 너무나 어처구니없는 현실에 나는 그 응급실 입구로 다시 들어간다. 이상한 눈초리로 훑어보는 시선들을 흘려버리고 한 걸음 한 걸음 내디디며 남편을 찾는다.

눈이 내린다.

세찬 바람을 타고 눈발이 쏟아진다.

투벅투벅 병원 앞길을 따라 시내 쪽으로 향해 펜 애브뉴를 걷는다. 그 언젠가 차를 타고 지나가면서 가르쳐주던 포스터의 생가가 보인다.

덮어쓴 머플러가 바람에 휘날린다.

"STEPHEN FOSTER"

America beloved compositor of folk song

이렇게 쓰여진 팻말과 돌로 쌓아올린 아름다운 이층집을 물끄러미 바라본다.

133년 전인 1864년 1월 13일 눈보라가 휘몰아치는 날, 포스터도 나의 남편과 거의 같은 날 37세의 나이로 이세상을 떠났다

힘없이 뒤따라오는 발자국 소리, 눈 속에 깊은 발자국만 남기며 나는 계속 걷는다.

하얀 색으로 맞닿아 버린 하늘과 땅을 뒤로 하고 나는 그냥 걷기만 한다.

아름다운 유산

끈덕진 고요함이 방안에 무겁게 내리고 있다. 계속 돌아가고 있는 찬송가의 C. D.도 이 고요 속에 맥없이 잠겨들어가고 있다. 아래층, 위층, 집안 어느 한 구석에도 기척이나 숨결이 없다. 무서우리 만큼의 정적이 너무나 세차게 다가와 나의 가슴 밑바닥에서부터 숨길이 졸려든다.

서로의 생명을 공존시킨 숨결, 이 숨결이 나에게 너무나 절실하다.

한쪽 벽에 붙은 거울 속 초췌한 얼굴에 대고 소리 없는 말을 건낸다. "이게 정말 꿈이겠지, 지금 나는 악몽을 꾸고 있는 거야, 악몽이 틀림없지?"

거울 속의 낯선 여인은 완전히 사색이 된 얼굴로 말 없는 대답을 되돌려 보낼 뿐이다.

하루아침에 나의 곁을 훌쩍 떠나버린 남편! 이 남편의 자리, 이 빈 공간을…, 긴 세월동안 나도 모르게 커져버린 이 엄청난 공간 속에서 나는 질식할 것 같이 허우적거리고 있다.

"어떻게 견딘단 말인가?" 대답이라도 찾을 듯 방 구석구석을 찬찬히 둘러본다. 화촉 김인숙 양 박의정 군 1967년 5월21일을 새긴 한 폭의 동양화, 30년 간 침대 머리맡에 끈기 있게 걸려 있던 그림이 힘을 잃고 있다. 방바닥에는 쌔근쌔근 숨소리를 내고 있는 태리!

"태리야! 양치질하자" 하며 입을 벌려 칫솔로 개 이빨을 열심히 문질러 주던 남편, 개한테 가는 남편의 정성이 개가 없으면 나한테 돌아오기라도 할 것처럼 샘을 냈던 개, 이 태리만 내 곁에 있다.

창문 밖 한아름들이 고목나무 밑에 노랑 색의 투립과 데포딜이 소곳이 올라 봄을 알리고 있다.

"아! 그래도 봄은 오는가…."

이웃집에만 온 봄을 본다. 우리 집 앞마당은 시꺼먼 흙덩어리만 드러나 겨울이 훑고 간 상처가 그대로 남아 있다. 잔디 속에 겨울의 잔해처럼 뒹구는 넙쩍한 떡갈나무의 낙엽을 물끄러미 바라보던 나는 남편의 굵은 목소리를 듣는다.

"우리는 남의 나라에 사니까 정원도 더 아름답게 꾸며 놓아야 차이니스 소리를 듣지 않게 돼."

쑥밭이 된 우리 집 정원 속, 나는 또다른 목소리를 듣는다.

"매일 이른 아침마다 이 댁 정원을 보러 일부러 이쪽으로 산책을 나온답니다."

훤칠한 키에 단정한 모습의 이웃집 아줌마, 영국식 액센트의 영어로 말하는 그녀의 상냥한 목소리, 노란 머리에 하얀 얼굴의 인형같이 귀여운 이웃집 아이들의 목소리들도 범벅이 되어 귀에서 맴돈다.

"당신의 정원이 이 동네에서 가장 아름다워요."

토끼들처럼 깡충깡충 파란 잔디 위에서 뛰노는 천진난만한 애들의 앳띤 목소리.

"낙엽을 쓸어내야지," 갈고리를 가지러 휘청거리는 무릎을 버티며 앞마당을 지나 차고 쪽으로 갔다. 리모트 콘트롤을 눌렀다. 차고 문이 드러렁 열렸다. 차고 속에 들어선 나는 그 자리에 우뚝 서 버렸다. 거기엔 남편의 숨결, 남편의 손길이 있었다. 깨끗이 정돈된 차고 속, 선반 위엔 각종의 새 모이, 허밍벌드의 꿀물이 든 모이 병, 장미꽃 영양제, 다른 선반에는 차에 필요한 오일에서부터 여러 가지의 도구가 가지런히 놓여 있었다. 맞은편 벽에는 물 속에 깊숙이 들어가 낚시할 때 쓰는 허벅지까지 오는 장화가 벽에 길다랗게 걸려 있다.

빛이 노랗게 바랜 잔디 위, 가랑잎들이 스치는 바람결에 힘없이 뒹굴어댄다. 남편이 저녁마다 골프를 연습하던 네트는 비스듬히 기울어져 있고 그 발 밑에는 바람에 흩날려 모인 가랑잎들이 수북히 쌓여 있다.

"이 헝크러진 잔디밭을 나 혼자 어떻게 치우나…?"

처절한 심경으로 서 있는 나에게 초라한 장미 밭이 가슴 아프게 들어온다. 남편이 너무도 사랑한 장미꽃, 그 장미나무들은 찬 바람에 새까만 가지만 남긴 채 죽어 있다. 비쩍 말라버린 가지에는 제파니스 비틀져를 잡는 주머니만 뎅그러니 걸려 바람에 흔들거리고 있다. 멀건히 쳐다보던 내 눈에 빨강, 노랑, 여러 색의 장미들이 되살아난다. 장미꽃 향기가 바람결에 은은히 퍼져 온다. 나는 이끌리듯 장미 밭으로 간다. 장미 가시에 무수히 엉켜 있는 가랑잎들을 끄집어낸다. 가시에 찔려 손등에 피가 흐른다. 가시는 나의 서러움을 찌른 듯 눈물이 내 얼굴을 타고 흐른다. 남편이 하던 것처럼 나는 마른 가지를 가위로 잘라낸다. 땅바닥에 주저 앉은 채 수북히 쏟은 잡초를 두 손으로 뽑아낸다. 잡초를 뽑던 손을 멈춘다. 푸르디푸른 하늘을 고개를 들어 우러러본다. 남편이 하늘에서 내려다 보고 있는 것 같다.

장미 밭 옆에 외톨이로 서 있는, 모래시계 모양의 중간이 짤록한 허망벌드(Humming Bird)의 모이 병에는 먼지가 뿌옇게 앉아 있다. 나는 가만가만 먼지를 닦는다. 남편의 얼굴이 나타난다. 주름살 위에 아이 같은 웃음이 가득한 얼굴…….

"여보 이리 와! 빨리 와 봐."

숨죽인 목소리지만 다급하다.

"뭔데…?"

눈을 휘둥그레 뜬 채 나도 소리를 죽이고 남편 쪽으로 다가선다. 손가락 끝으로 보이는 곳에는 허밍 벌드가 있다. 분홍색 꿀물에 긴 주둥이를 깊숙이 박고 날개를 쉴새없이 파르르 떨며 꿀물을 빨아들이고 있는 허밍벌드, 잠자리같이 생긴 날개를 눈에 보이지도 않게 너무도 빨리 파르르 떨다가는 휭하니 날아갔다가 되돌아 왔다. 숨이라도 크게 쉬면 날아가 버릴 것 같아 우리 둘은 숨을 죽이고 싱크대 위 부엌 창문을 통해 서로 고개를 맞대며 열심히 쳐다본다.

"허밍 벌드의 모이를 사다 걸어 놓았는데도 새들이 오지 않길래 내가 꿀물을 탔거든."

목소리를 죽이고 속삭였다.

"아니, 꿀물까지 넣었어요?"

어이없어하는 나의 목소리.

"그런데, 저놈들이 내가 꿀물을 탄 걸 어떻게 알았지?"

고개를 갸우뚱하며 큰 비밀이라도 찾아낼 듯이 잠시 심각한 표정이 된다.

"저 봐! 저렇게 열심히 빨아먹잖아. 신기하지…?"

계속 목소리를 낮추고 신이 나서 내 얼굴을 쳐다본다. 대단한 일을 한 아이가 엄마한테 자랑스레 보고하듯이,

"저것 봐! 저기 또 다른 한 놈이 오네."

어디선가 갑자기 나타난 두번째 새가 모이 병 옆 풍성하게 퍼져 있는 라일락 가지에 한들거리고 앉아 있다. 우리는 손가락만 한 크기의 두 마리 허망 벌드를 끈기 있게 쳐다본다. 먼저 왔던 새는 조금 더 크고 세차게 보인다. 모이 병을 주시하고 있던 작

은놈이 파르르 날며 꿀물 병으로 다가왔다. 불청객이 나타나자 큰놈이 초긴장, 꿀물 병을 지키기 위해 그 주위를 뱅글뱅글 돈다. 작은놈이 모이 병으로 날아가자 먼저 온 놈이 길다란 입부리로 공격 태세다. 작은놈을 쫓아낸다.

남편은 시간 가는 줄 모르고 이 새 두 마리의 생존경쟁을 지켜보며 더 신나한다.

"저놈 보래! 혼자서 독차지하네." "저 큰놈은 나누어 먹을 줄을 모르네, 고얀놈 같으니라고."

말은 그렇게 하면서도 싱글벙글이다.

"저건 내가 준건데 저것 봐! 저것 봐! 지것 처럼 행세한데이."

"나눠 먹어도 내가 얼마든지 더 많이 줄 텐데 쯧쯧…."

입가에 웃음을 가득 머금은 체 고개를 살래살래 흔든다.

나는 큰놈의 심술이 너무 얄밉다. 서로 사이좋게 한 번씩 차례대로 길다란 주둥이를 넣어 맛있게 빨아들이면 얼마나 보기가 좋을까! 끝까지 욕심으로 버티는 큰놈, 그놈의 손톱만한 새머리통을 손가락으로 탁 퉁겨주고 싶다.

남편은 큰놈이나 작은놈들이 파르르 거리며 날아다니는 것과 생명의 신비에 신기해하고 있다. 그러는 남편에게 나는 심통이 난 목소리로 "큰놈이 얄미워 꿀 병을 아예 치워 버릴까보다."

싱크대에서 내가 몸을 일으키자 남편이 놀라 눈을 번쩍 뜨며 "그냥 둬, 왜 그래" 하고 너무도 의아해 한다.

남편은 이년 전 심장수술을 받았기 때문에 심한 통증과 함께 허약한 상태에 있었다. 그런 그가 지칠 때까지 꽃과 나무들에 매일 물을 주는 것이 몹시 걱정이 되었다. 그러나 원래 하고 싶은 일은 꼭 하고야 마는 성격이라 말려도 소용이 없고, 더욱이 남편이 너무 즐겨하는 일이라 지켜보는 수밖에 없었다.

"매일 물을 주면 나무뿌리가 오히려 썩어요. 저러다가 화분에 있는 꽃나무를 다 죽이겠네."

남편이 물을 줄 때마다 따라 다니며 혼자서 투덜대곤 했다.

"나무고 꽃이고 물을 듬뿍 주고 정성을 주면 이렇게 꽃이 활짝 피고 싱싱하게 잘 자란다구." "이것 보라고, 얼마나 반지르르하게 잎들이 윤이 나나."

검은 색이 나도록 짙은 초록색의 나뭇잎을 만지며 이것 보라는 듯 나를 쳐다보았다.

"나무나 꽃만 그런 줄 알아요?" "당신 옆에 있는 마누라한테도 사랑과 정성을 듬뿍 줘 봐요, 이렇게 늙어 시들시들하지 않고 활짝 피게…."

입이 쭈우욱 나와 투덜거리는 나를 그는 힐끗 쳐다보았다.

"마누라한테 사랑과 정성을 듬뿍 안 주었다고?"

"언제 나한테 정성을 쏟았어요?"

"이 이상 어떻게 내 마누라를 아끼고 사랑하지?"

눈을 마주 쳐다보며 익살을 부렸다.

"집에 오면 개만 쓸어주고 닦아주고, 물 주리를 들고 다니며 꽃이나 나무가 익사하도록 물만 주면서…, 언제 마누라의 존재가 당신 눈에 들어오기라도 했나요?"

입술을 있는 대로 내밀고 투정을 부렸다.

"마누라는 모르고 꽃에만 물주는 멍청이 같은 남편이라…, 재미있겠는데? 당신 그걸 글로 한번 써보지 그래."

무슨 희한한 것을 발견한 것처럼 눈을 둥그렇게 뜨고 나를 빤히 쳐다보았다. 반은 농이고 반은 진담인 것 같은 그의 표정을 보며 나는 계속 투덜대었다.

"대나무도 물을 너무 많이 줘서 죽어가지, 일주일에 한 번 주면 될 물을 뭣 때문에 매일 주는지 나는 정말 모르겠네."

아닌게 아니라 그런 어느 날 대나무 한 그루가 시들시들 하더니 잎사귀가 노오랗게 변해 버렸다.대나무 잎이 노래지자 남편의 얼굴도 노래지는 것 같았다.

지금 꼿꼿하게 뻗어 몸체가 새까만 대나무 오죽이, 무성한 잎을 피우고 내 눈앞에 다가선다. 중국을 갔다가 한국을 거쳐 미국으로 돌아왔을 때의 일이었다. 공항에서 짐을 통과한 후 집에 도착하자마자 젖은 신문지를 살며시 펴는데, 거기엔 보잘 것 없는 시들시들한 대나무 뿌리 몇 쪽! 호기심과 기대에 가득 찼던 나는 너무나 어처구니가 없었다.

"아니 공항에서 들키면 어쩔려고 이따위 대나무를 몰래 숨겨왔단 말이에요?"

곱지 않은 눈길로 남편을 쳐다보았다. 내 눈길도, 내 퉁명스러움도 안중에 없이 한밤중에도 뿌리가 죽었나 살았나 파보기도하고 한국에 수십 번 전화를 걸어 대나무를 키우는 방법을 물어보고 또 상태를 친척에게 알리며 온갖 정성을 다 기울였다. 나무 종류가 허구 많은 미국 땅에 왜 한국 대나무까지 심겠다고 저 극성일까?

"러시아에서 논을 만들어 벼를 심어 성공한 우리민족의 얼처럼 나는 이 추운 미국의 피츠버그에 한국의 대나무를 심어 놓을 거야."

그날도 차로 가득 사온 갖가지 꽃을 정성들여 흙에 파묻고 있었다. 남편은 새로 사온 장미 그루터기를 힘에 겨운 듯이 옮기며 삽을 들어 땅을 파는데 싸늘한 초봄 날씨인데도 그의 이마엔 비지땀이 목에까지 흐르고 있었다.

"당신은 좀 쉬어요, 내가 땅을 팔게요. 뭐 하려고 꽃을 이렇게 많이 사 가지고 이 고생을 사서 하는지 당신이라는 사람을 나는 도대체 알 수가 없네요."

볼멘소리로 투덜대며 남편 쪽으로 다가섰다. 남편 손에 있던 삽을 잡으려 손을 내밀 때 힐끗 나를 바라보는 그의 눈에는 전에 없이 깊은 우수가 배어 있었다. 입모습은 여전히 웃음이 고인 채 뭔가 말하려는 듯이…. 그날 따라 그의 6피트의 큰 체구가 왜 그렇게 왜소하게 보였는지….

쌀쌀한 바람이 불었다. 걷어붙였던 소매 끝을 내리고 웃옷을 여미며 덱(deck)으로 올라섰다. 덱 한옆에는 꽃에 물주는 길다란 호스가 한 군데 헛 감긴 데 없이 정확하게 감겨 있다. 호스를 만진다. 짜릿한 생명이 전해온다. 밤 1시 2시, 자는 시간까지 아까워 어떤 때는 3시까지 이 물 호스를 쥐고 앞뜰 버닝 부쉬 아래, 커다란 바위 옆, 풍성하게 심어 놓은 임페션트, 무궁화나무 그루들, 물이 땅속 깊숙이 스며들 때까지 물을 흠뻑 주곤 했다. 별이 총총히 박힌 밤 시간가는 줄 모르고 물을 뿌리고 있는 남편. 말없이 남편의 등 뒤에 서 있는 나를 느끼고는 "아유 시원해 내가 이렇게 시원한데 요놈들이야 오죽 시원할까?" 한다.

나를 쳐다보던 그의 얼굴은 금방 샤워라도 한 듯 시원함이 가득했다. 호스를 쥐고 있는 그의 손이 부드럽게 움직임에 따라 나뭇잎들도 소나기를 맞는 듯 이리저리 부드럽게 춤을 추었다. 한밤중에 청승스럽게 물을 뿌리고 있는 남편을 너무도 어처구니없음과 소외감으로 멀건히 등뒤에서 바라보았다. 나는 어느 틈인가, 남편이 나무가 되고 나무가 남편이 되어 같이 호흡하는 것으로 착각을 일으키기도 했다. 지금 그 나무들이 나를 보고 있다. 흐드러지게 축 처진 목마른 나무가 물을 달라고 하는 것 같다.

정열적이며 적극적인 남편이, 작은 꽃 하나, 나무 한 그루의 그 생명에, 자신의 생명을 다루듯 온 정성을 들이며, 생명 그 자체를 사랑했던 남편, 마지막 순간까지 삶을 가득히 살려고 했던 남편, 그가 내 곁을 떠나자 나의 가리웠던 눈이 열린다. 남편의 모습이 새로운 의미를 갖고 생생히 다가온다. 털부숭이 조그마한 개 태리를 안고 하늘을 우러러보고, 뒤뜰에 우거진 숲을 바라보며 한순간 한순간을 왜 그렇게도 귀히 여기었던가를…. 하늘을 사랑하고 숲을 사랑하며 사랑을 사랑했던 사람. 그 속에 나의 존재가 들어설 자리가 없다고 가슴을 아려했던 나는 이제야 깨닫는 것이다. 사랑을 사랑했던 그 속에 내가 얼마나 귀한 사랑의 대상이었는가를….

언제나 꿈을 안고 삶 그 자체를 사랑했던 남편, 바로 이 마음의 유산은 나와 두 아들에게, 끝없이 솟아나는 샘물같이 우리들의 삶을 더없는 풍요로움으로 이세상을 살아가게 하리라.

어딘가에서 남편의 목소리가 들리는 것 같다. 멀리 어느 하늘 끝에서 아니 내 마음속 깊은 곳에서….

"꽃을 심어요."

"그래야 새들이 모여든다오."

당신과 나는

당신은
천국의 하늘을 보고
나는
피츠버그의 하늘을 봅니다

능선을 따라 피어난
화사한 울타리
노오란 개나리꽃 숲이
고향의 노래를 들려줍니다

라일락 꽃잎이
땅위에 흐트러져 날리고
나무 잎새는 아직도 연녹색으로
이곳을 부드럽게
어울려 주고 있습니다

쓰르렁 쓰르렁
여름의 소리
매미 울음이
울창한 나뭇잎 사이에서
쏟아져나옵니다

나는
흐르는 구름 조각에
꿈을 날리던
소녀가 됩니다

그러나
여기는
까마귀가 울어대는
생의 파도가 멈춘 곳

서서히
피어나는
구름 길 따라
당신과 나는
구름 위를 걸어갑니다.

제3주제 | 신앙

하늘의 소망이 내 가까이 있음을

끈질기게 해온 나의 손님 행세는 교회 안에서도 하나님의 자녀가 아니라 교회에 들어온 한 손님의 존재에 지나지 않는 것이 아닐까?

아무런 생각 없이 해온 나의 버릇이, 하나의 타성이 되어 하나님께 가까이 갈 수 없는 장벽을 두텁게 만들고 있다는 것을, 뒤늦게 깨우치게 되었다.

이 문둥이와 저 문둥이

나에게 특이한 장기(?)가 있다고 하면, 아주 남을 잘 비판하고, 판단하는 실력을 손꼽을 수 있다. "작은 것은 작고, 큰 것은 크다" 하며 자신의 정확한 판단을 과시하기도 하고, "아니 사람이 어쩌면 은혜를 입고도 쓱싹 입을 닦고 모르는 척 한담, 배은망덕하게시리…" "아! 저 예수쟁이 말뿐이지 어디 한군데 달라진 데가 있나 보라구요!" 하며 아주 목에 핏대를 세우며 공자왈, 맹자왈, 하다가 예수왈 까지 하며 비판이 대단하다. 이렇게 모든 일을 입으로 열렬히 비판하고 판단하다보니 나 자신은 항상 정당한 코스로만 달리고 있는 것으로 대단한 착각을 하게 되었다.

그러다, 쬐끔 교회의 문턱을 왔다갔다 하다보니 주워들은 성경내용을 듣고 또 투정이다. 성경에 무슨 장 무슨 구절까지는 알 바도 아니고, 그냥 들은 이야기만으로도 나에겐 불평하기엔 충분하다. 예수님께서 문둥병환자를 고쳐 주셨더니 다들 그냥 돌아가 버리고 한 문둥이만 예수님을 찾았다는 것이다.

"아니! 사람들이 배은망덕해도 분수가 있지, 그래! 그 불치의 병을 낫게 해 주었는데도 예수님을 따르지 않다니…," "문둥이는 피부만이 아니고 속까지 문둥거려졌단 말이야 쯧쯧…." 아주 혀까지 차며 개탄해 마지않는다.

그런데… 그－런－데, 나는 어느새 속까지 문둥거려졌다고 개탄하던 그 문둥이 중의 하나가 되어 버린 사실을 뒤늦게 깨닫게 되었다.

어느 날 친구와 함께 미국교회의 부흥회에 참석했다. 고질인 허리 병이 도져, 걸음도 잘 걸을 수가 없었으나, 약속은 약속이라, 심한 허리통과 함께 아픈 다리를 끌며 교회로 갔다. 의자에 앉아 있기가 너무 괴로워 몸을 비틀고 있는 나를, 어느 미국 자매님이 유심히 본 것 같다.

"Do you believe God can cure your sickness?" (주님께서 당신의 병을 고쳐 줄 수 있다고 믿습니까?)

"Of course, God can do anything if He wants to do it." (물론이지요, 주님이 원하신다면 무엇이든 하실 수 있습니다.)

나는 당당히 대답했다.

나는 너무 고통스러웠다. 사람이 물에 빠지면 지푸라기라도 잡는다지 않는가? 그 자매님은 기도를 열심히 했다. 나도 열심히 "아멘"으로 응답했다. 기도가 끝나자마자 어느새 내 주위에 모였는지 많은 미국 자매님들이 "할렐루야! 할렐루야!" 목청껏 하나님을 찬양하고 있었다. 의자에 얹어 둔 나의 두 다리 중 한쪽

다리가 쑥 길어지는 것을 보았다고 했다. "S" 형으로 비틀어졌던 허리가 곧바로 되고 그 심했던 통증이 거짓말같이 깨끗이 없어졌다. 너무 신기했다.

6개월 동안은 열렬히, 1년이 지나자 조금 열렬히. 2년 즈음되어서는 쬐끔 기억하다, 3년이 지나자 내 허리는 응당 건강하다, 아니 어쩌다 우연의 일치로 허리가 나은 것으로 자연스럽게 생각하게 되었다. 나는 어느새 영영 돌아오지 않는 그 문둥이 중의 하나가 되어버렸다.

돌아오지 않는 문둥이에서 다른 문둥이의 이야기를 하기 전에 나의 상황에 대하여 조금 설명해야 하겠다.

내가 미국에 도착한 것은 71년 초, 3살 난 아들을 데리고 병원에서 인턴 쉽(수련의 과정)을 하고 있는 아빠를 뒤따라 왔다. 아빠는 내과 전문의 훈련을 마치고 개업했다. 개업은 번창해 갔다. 나는 대학에 다녔다. 의기 양양하게 나의 인생의 설계대로 살아왔다. 그 동안 태어난 둘째 아들과 큰아들 둘을 데리고 수영이다. 바이올린이다. 펜싱이다, 피아노다, 클라리넷이다, 태권도다, 과외공부란 과외공부는 다 끌고 다니면서, 이것이 부모로써 자식교육을 최고로 잘 시키는 것이라고 자부하면서 살았다. 국민학교 때부터 아이들을 사립학교에 넣었다. 인생을 풍요하고 알차게 살고 있다고 생각했다. 교회도 다녔다. 유년주일학교와 한글학교에서 어린것들을 가르치면서 참으로 나는, 보람있게 살아가고 있다고 생각했다.

86년 나에게, 아니 우리 온 가족에게, 크나큰 시련이 다가왔다. 장사에 전혀 문외한인 내가 한국식품가게를 운영하게 되었다. 처음부터 계획대로 되는 것은 백가지 중에 단 한가지도 없었다. 한국에서 친척 분이 오셔서 운영한다던 계획이, 그분들이 그냥 한국으로 되돌아가 버리심으로 그 무거운 짐은 몽땅 내 어깨 위에 얹어 지게 되었다. 뉴욕에서 물건을 가득 싣고 오던 트럭의 엔진에 불이 나는가 하면, 하다 못해, 가게의 문 앞까지 도착하여 트럭을 파킹해놓은 인도가 하필 내려앉아 트럭을 끌어올려야 하는 등, 사고 연발에, 말로 다 할 수 없는 어려움이 들이닥쳤다.

나는, 이 어려운 시련을 힘들다고 불평할 여유도 없이 그냥 헤쳐 나가기에 혼신을 다 했다. 일이 끝나 집으로 갈 때, 동쪽 하늘이 훤히 밝아 오기가 일쑤였다. 그러던 어느 날, 큰아들 방에, 애들 아빠가 사다 걸어놓은 "Foot Prints"(발자국)이란 시가 내 눈과 마음을 강하게 끌었다.

한 밤에 꿈을 꾸었습니다
나는 주님과 나란히 해변을 걷고 있었습니다
하늘을 가로질러, 지나간 나의 인생의 그림이 펼쳐졌습니다
장면장면마다 두 사람의 발자국이 남아 있었습니다
한 발자국은 나의 것이고
또 다른 하나는 주님의 것이었습니다
마지막 장면이 비쳐졌을 때
모래 위에 남겨진 발자국을 보았습니다
지나온 구비구비마다
한 사람의 발자국만 남아 있었습니다
가만히 돌이켜 보니

나의 생에서 가장 슬프고 괴로운 때였습니다

궁금해서 견딜 수 없었습니다
주님께 물었습니다
주님! 주님을 따르기로 결단하면
주님은 항상 나와 함께 하시리라 하셨는데
어찌하여
어렵고 괴로운 때에
나를 혼자 내버려두었습니까

주님이 대답 하셨습니다
사랑하고 사랑하는 내 딸아
나는 너를 결코 혼자 내버려두지 않는단다
네가 가장 괴롭고 시련을 당할 때에
남은 한 쌍의 발자국은
내가 너를 안고 간
나의 발자국이란다
— **발자국** (김인숙 번역)

다듬은 나무 조각에다 예쁜 글씨로 쓰여진 작자 불명의 시였다.

나에겐 성경을 볼만한 기력이나 체력도 남아 있지 않았다. 마치 나는, 난파한 배에서 떨어져 둥둥 떠 있는 나무 한 조각을 잡고있는 것 같았다. 바람 부는 대로 파도 치는 대로 떠다니는, 물에 빠진 사람이 생명을 하늘에 맡기듯, 나무조각에 새겨진 시를 붙들고 모든 걸 주님께 맡겼다. 이 역경을 주님이 나를 안고 가주신다. 이 기간은 주님의 두 발자국만이 남아 있을 것이라고 굳게 믿었다. 나에게는 성경의 지식도, 말씀도, 믿음도, 아무것도 없지만 이 시는 나를 주님의 품안에 안기우게 해 주었다. 나는 주님을 알지 못했지만, 주님이 나를 먼저 아셨고 도와주시는걸 피부로 느끼며 살아왔지만 나에게 진정한 믿음이 없었다. 나무 조각에 쓰여진 시를 품에 안고, 길게 누워서 나마 경건하게 그리고 짤막하게 기도했다.

"주님! 저에게 주님이 원하시는 참 믿음을 주세요, 아멘."

그리고는 깊은 잠에 빠져 버리곤 했다.

90년 4월 하나님의 성회 피츠버그 한인교회에서 있는 부흥성회에 참석했다. 그 후 부터 계속하여 하나님의 성회 교회에 나갔다. 마치 늪에 빠진 사람이 벌쭉 벌쭉 마지막 숨을 쉬다 누군가가 늘어뜨려준 밧줄에 이끌리어 늪가로 나아가며 조금씩 조금씩 정신을 차리는 것 같은 나를, 보는 듯했다.

가게를 시작한 지가, 이제 만 5년이 되었다. 아주 어려운 막바지마다 하나님께서는 귀한 분들을 보내 도와 주셨고 또한 귀한 일꾼들을 때에 맞춰 보내 주셨다.

91년 5월 본교회의 부흥회 때였다. 목사님이 열심히 문둥이의 설교를 하신다. 이번 문둥이는 내가 비난했던 문둥이의 예와는 전혀 다르다.

한 문둥병자가 나아와 절하고 가로되 주여 원하시면 저를 깨끗케 하실 수 있나이다 (마8;1-3)

문둥병자는 예수님을 하나님의 아들로, 자신의 문둥병을 능히 고칠 수 있는 분으로 조금도 의심하지 않고 믿었다. 이 문둥병자는 예수님께 나와서 그 앞에 무릎을 꿇어 예배를 드렸다. 예수님이 병을 고쳐주어서가 아니라, 병을 고치셨든지 아니든지 관계없이 그는 예배를 받으실 만한 주님이시기 때문이다.

"주님이 원하시면…" 이라는 말씀과 설교가 마음에 크게 와닿았다. 그 문둥병자는 자신의 그 무서운 천시와 천대의 병에도 불구하고 자신의 욕구에 집착하지 않은 순수한 믿음을 가졌다. 문둥병을 고쳐주시지 않아도, 예수님을 예수님으로 사랑하는 마음이다. 나는, 내가 비난했던 전번 문둥이 중에 하나였지만 이제는 이 문둥이 같은 진실된 믿음으로 변하고 싶다는 마음이 강하게 일어났다.

"나는 주님이 원하시는 대로 살 각오가 되어 있는가?" "나는 어떤가?" "제일 기본적으로, 주님의 날을 지키는 것이 아닐까…?" 라고 생각하다가 "주일날은 가게문을 닫아야겠다" 는 마음이 생겼다.

내가 경영하는 이 가게는 크리스마스만 빼고 일년 내내 문을 여는 가게로 십여 년 간 정평이 나 있다. 주중에는 가게 주위에 자동차를 파킹하기가 아주 복잡한 것을 피해서, 일부러 일요일에 나오는 고객이 많은가 하면, 교회 길목이라 예배 시작 전이나 끝난 후에 오시는 분이 많았다. 웨스트 버지니아, 오하이오 등지에서 모처럼 노는 날을, 또 사업하시는 분들은 자기네의 쉬는 날을 이용해서 오시기 때문에 일요일은 주중보다 매상이 높아 문을 닫는다는 것은 있을 수가 없었다. 그래서 그 동안 일요일 가게문을 닫는다는 것을 생각해본 적도 없었다. 그러나 Sorry! Every Sunday Closed.(매 일요일 휴업)라는 간판을 내걸었다.

이제 마악 한 발자국을 떼어놓은 아기가 된 기분이다. 20여 년간 교회를 다니며 머리만 커 버린 기형아가 뒤뚱거리며 한 발짝을 땐 것이다. 이런 나를, 우리 주님은 기쁘게 두 손으로 잡아 주시고 앞으로도 이끌어 주실 줄 믿는다. 지금까지 참아주시며, 사랑으로 아껴주신 주님께, 내가 무엇으로 감사를 드릴 수 있겠는가?

백년 손님

1973년, 미국에 첫발을 디딘 지가 2년이 되었다. 다섯 살짜리 아들에 이어 둘째 아들은 미국 이곳 피츠버그에서 태어났다. 나는 바깥 세상은 모르고, 두더지처럼 집에서 애들과 씨름하면서 미국의 이민 생활을 시작하고 있었다. 생소하기만 한 이 곳에서 할 수 있는 일은 그로서리에 가서 간단히 장을 보는 것. 애들을 키우는 일, 이것이 나의 이민생활의 전부였다.

"아! 내가 사는 곳이 남의 나라 미국이구나!" 하고 생각되는 때는 남편과 함께 애들을 데리고 Shopping 하러 몰(Mall)에 가서, 각 나라 사람들이 모여 인종 전시장같은 분위기를 볼 때, 각색 머리색깔의 물결을 볼 때, 그리고 모처럼의 휴가를 받아 여행을 떠나, 끝없이 펼쳐지는 고속도로 가로 늘어선 숲과 숲을 지날 때였다. 집밖으로 나와도 사람을 볼 수가 없었다. 지나가는 차만 줄을 이어 달리고, 집들은 있지만 이웃이란 게 없었다. 병원 수련의로 훈련을 받고 있는 남편은 하루가 멀다고 당직이었다. 마음이 울적할 때 창문을 열고 하늘과 밖을 내다보았다. 우뚝우뚝 서 있는 낯선 건물은 마음을 더 울적하게 만들 뿐이었다. 마음대로 이야기를 주고받을 수 있는 사람이 그리웠다. 사람이 그리워 한국 사람이 모인 한국교회를 가고 싶었다. 그러나 마음 뿐, 문밖을 나가지 않고 집안에서만 맴돌았다. 어느 날 남편이 말했다. 이곳 미국 땅에서 살아야 하는 5살과 1살이 된 우리 아이들에게 기독교의 정신으로 시작된 이 나라의 문명을 배우게 해 주는 것이 바람직하다고 했다. 아이들을 위한 엄마의 갸륵한(?) 마음이, 실제로 교회 문을 두드릴 수 있었던 참 용기였다.

처음 내가 교회에 나갔을 때에, 어리둥절한 가운데 예배는 끝나고 밀려서 친교 실에 내려갔다. 교회 안에서 서로에게 관심 없이 서로 몸을 쓱쓱 비키며 지나쳐 버리던 태도가, 그 속에있는 나를 더욱 멋쩍게했다. 그들은 마치 시장 터에서 보는 서로에게 아무런 관계가 없는 사람들과 같았다. 더욱이 친교 시간이면 친한 사람들끼리 신나게 이야기 하니 사교장 같았고, 새로 온 사람은 외톨이처럼 우두커니 서서 낯선 분위기에서 소외감과 쑥스러움을 견디야만 했다.

10년 후, 같은 교회 안 친교실, 서 서 얘기하는 사람, 모처럼 만나 인사하는 사람, 우두커니 서 있는 사람, 이런 복잡한 분위기 속에서, 나는 혼자서 쥬스를 마셔가며 도넛을 열심히 먹고있다. 그것도 의자 하나를 끌어다가 편히 앉아서 말이다. 묻은 흰 가루를 툭툭 털고 일어나면 나의 다과 시간은 간단히 끝난 것이다. 햇수를 세어보니 내가 교회 안에서 이러기를 자그마치 10년이 된다.

아득할 만큼 오랜 세월에 용케도 거듭 되어온 예배 후에 갖는 친교 시간의 나의 모습이다.

10년 전에는, 모두가 초면이라 어줓어줓해하며 도넛을 들었던 나의 모습과 10년이 지난 지금의 나는 별로 달라진 것이 없다. 꼬집어서 달라진 것을 말하라면 어색해 하던 나의 행동이 거의 모두가 구면이니 퍽 자연스러워졌고 천연덕스러워졌을 뿐이다.

그러나 강하게 일맥상통하는 점은 그때나 지금이나 여전히 나는 교회의 한 사람의 손님일 뿐이다.

나는 언제나 남을 예리하게 비판하고 나의 감정에는 언제나 충실하다. 그러나 나는 비판하는데 끝이고 나의 행동에는 책임질 줄을 모른다. 그 동안, 나는 부드러운 눈 인사하나, 우두커니 서 있는 새로 오신 분에게 도넛 하나 들고 가서 권하거나, 의자를 끌어다 앉기를 권하는, 새로 오신 분에게 따뜻한 마음을 주지 않았다. 고의는 아니지만 새로 오신 교우님들에게 내가 겪었던 똑같은 실망과 암울한 마음을 그대로 주고 있었던 것이다.

"새로 오신 분들은 장로님이나 집사 님들이 혹은 교회 친교 부에서 반갑게 맞이해야지" 겸손하게(?) 손님으로 뒷자리에 물러서 있었던 것이다. 사실, 천리만리 고국을 떠나 만나는 새로 오신 분들은 정말 반갑다. 고국소식도 듣고 싶다. 그러나 나의 속마음을 한 번도 표현한 적은 없다. 나는 나의 감정의 표현마저도 장로님, 집사님 그리고 친교부에 맡겨 버리고 만 것이다.

그러나 이제 나의 이러한 습성이나 손님 행세가 나 개인에게만 속한 것이 아니고 다른 사람들에게 해를 끼치며 더 더욱이 교회 안에서 주님을 믿고자 오신 분들에게 걸림돌이 되고 있다는 것을 깨달았다. 어느 날, 하나님의 말씀이 거울이 되어 나를 바라보게 하였다. 이 나의 손님 행세는 남에게 걸림돌이 될 뿐 아니라 나 자신에게도 걸림돌이 되어 자신의 돌 뿌리에 차여 넘어진다는 것을 서서히 깨닫기 시작했다.

"믿는 사람이 날마다 마음을 같이하여 성전에 모이기를 힘쓰고 집에서 떡을 떼며 기쁨과 순전한 마음으로 음식을 먹고 하나님을 찬미하며 또 온 백성에게 칭송을 받으니 주께서 구원받은 사람들 날마다 더하게 하시니라."(행2:46-47)

"믿는 사람이 날마다 마음을 같이하여," 손님이란 자기자신을 있는 그대로 들어내지 않는다. 마음을 같이 하지 않는다. 물위의 기름처럼 한 묶음이 될 수가 없는 것이 아닐까?

끈질기게 해 온 나의 손님 행세는 교회 안에서도 하나님의 자녀가 아니라 교회에 들어 온 한 손님의 존재에 지나지 않는 것이 아닐까? 아무런 생각 없이 해온 나의 버릇이, 하나의 타성이 되어 하나님께 가까이 갈 수 없는 장벽을 두텁게 만들고 있다는 것을, 뒤늦게 깨우치게 되었다.

예수쟁이

욕심쟁이, 수다쟁이, 약쟁이, 거짓말쟁이, 욕쟁이, 심술쟁이 등 "쟁이" 란 말은 어떤 특수한 종류의 행위를 상습적으로 하는 사람들을 말할 때 쓰이는 말이거나 별로 달갑지 않은 천하고 경시되는 문제의 행위자에게 쓰여지는 말임에는 분명한 것 같다고 스스로 생각해 본다. 그런데 왜 하필이면 예수 믿는 사람들을 "예수쟁이" 라고 할까…?

나로서는 이 예수쟁이라는 단어를 두고 좀 더 깊이 생각하지 않을 수 없다. 왜냐하면 이 "예수쟁이" 라는 단어가 주위에 너무 흔하게 들리는 말일뿐더러, 나 혼자서만도 수천 번 이상 써먹었으니 말이다. 입밖에 내뱉어서 말하기도 하고, 예수 믿는 사람들이 하는 꼴에 배알이 틀릴 때마다 속으로 "흥! 저 예수쟁이들 꼴 좀 봐요…" 할 때가 너무나 많았다.

나는 교회에 나갔지만 항상 객석(?)에 앉아 있었기 때문에 예수 믿는 사람을 객관적으로 잘 관찰할 수 있었다.

“믿는다고 말만하면 천당 가는데 왜 안 믿어요?” — 거저 굴러떨어지는 보석을 왜 마다할쏘냐? ; ‘공짜파.’

“예수쟁들이 하는 짓을 보면 속이 비틀어져 교회에 못 나가겠어!” 말할라치면“사람을 보지 말아요, 사람을 보면 실망하니 하나님만 바라보세요” — 눈앞에 보이는 사람은 보지 말고 , 보이지도 않는 하나님만 쳐다보라고 입술에 침 한 번 바르지 않고 말을 싸악 돌리는 ; ‘미꾸라지파.’

“황금보다 더 귀한 하늘나라를 나 혼자만 믿을 수 없어 전도하지 않고서는 견딜 수가 없어요” — 이 예수쟁이에게 “돈 10불만 빌려주세요” 하면 눈을 휘둥그래 뜨고 이 작자가 돌지 않았나 하고, 모서리 눈으로 쳐다보는 자기 돈 안 쓰는 ; ‘인심파.’

목사님 설교가 끝나자마자 “설교가 너무 은혜스러워요.” — 혼자서 감탄을 연발하다 귀로들은 설교가 입으로만 곧장 쏟아져 나오는 ; ‘나팔파.’

“나는 구원을 받았으니 절대로 지옥에는 안 떨어져요.” ; ‘안전파.’

“예수 믿는 사람의 행동을 보지 마세요, 그분 중심의 믿음을

보셔야 해요." — 행동과 믿음을 갈라놓는 ; '분열파.'

"내가 이렇게 하는 게 주님의 뜻이지 뭐예요." — 내 뜻이, 필요에 따라, 하나님의 뜻이 되어버리는 ; '편리파.'

말끝마다 성경구절과 예수님이 튀어나오는 - 예수님을 코에 걸고 다니는 ; '장식파.'

"주님 이렇게 또는 저렇게 해 주세요." — 자기 욕심을 있는 대로 주문하 는; '주문파.'

"언제나 하나님께서 나와 함께 하심을 감사드려요," — 구린 내를 온 사방에 풍기며 자기 혼자 잘 믿고 있는 ; '착각파.'

이런저런 예수쟁이를 볼 때마다, 나는 도저히 예수를 믿어 보고 싶다는 생각조차 들지 않았다. 나의 많은 형제 중 한국에 있는 둘째 언니가 처음 예수를 믿기 시작해서 곧 우리들에게 열심히 전도를 했다.

"언니! 만일 내가 예수 믿는 저 사람은 우리들과는 달라! 할 만한 사람을 한 사람만이라도 보면 예수를 믿을게."

"그러지말고, 네가 먼저 예수 믿고 달라져서, 다른 믿지 않는 사람들에게 그런 대상이 되면 되잖니?"

"언니! 내가 무슨 수로 그렇게 되겠어? 아무도 그렇게 되지를 않는 것 같은데…?"

훌륭한 제자를 보면 그 스승이 얼마나 훌륭한가를 알 수 있는 법인데… 예수란 분이 이런 예수쟁이들만 득실거리게 만들었으니 그분도 별 볼일 없는 분일 수밖에 없지 않을까…? 그렇지 않다면 목사님들이 자기의 소견대로만 가르쳐 이런 예수의 제자(?)만 양성했단 말인가…? 별로 현명하지도 못하고 투철하지도 못한 나의 머리를 많이 굴리며 생각했었다.

어느 날, 가게의 문을 닫으려고 할 즈음, 큰 트럭이 가게 앞에 서더니, 별 볼품없어 보이는 자그마한 미국 남자가 급히 가게 안으로 뛰어 들어 왔다.

"주문한 쌀이 들어 왔구나" 하고 창고문 쪽을 가리키며 쌀을 내리라 했다. 그런데 이 남자가 전화를 좀 빌려 달라고 하더니, 본점에 전화를 해서 쌀을 내려 줄 사람을 보내라고 했다. 그러나 그 쪽에서는 너무 늦어서 아무도 보내줄 수 없다고 하는 모양이다. 큰 트럭에 가득찬 한 자루에 100 파운드씩이나 나가는 쌀을 내리려면 적어도 장정이 3 명은 있어야 한다. "이거 야단났네, 당장 쌀이 필요한데 내려 줄 사람이 없으니…," 나만 속을 끓이고 있었다. 그런데 그 운전사는 전화통화를 끝내고는 트럭을 창고 쪽으로 몰고 갔다. 나는 의아해 하면서 창고 쪽으로 따라가 보았다. 나보다도 더 키가 작고 야위어 보이는 남자가 혼자서 100

파운드 짜리 쌀을 내리기 시작했다. 그것도 아주 밝은 표정으로….

"보세요, 이 트럭에 가득한 쌀을 당신 혼자서 내릴 생각이세요?"

"네, 그래요."

"그건 말도 안돼요, 당장 다른데 가서라도 사람 몇 명을 더 불러오세요."

"지금은 아무도 올 수 없대요."

아마 다른 운전사였다면 화를 머리 꼭대기까지 올리고, 입에 침을 튀겨가면서 impossible! impossible!(불가능)를 연발하다가 그냥 트럭을 몰고 가 버렸을 텐데….

나는 고개를 갸우뚱하며 '이 사람이 조금 모자란 사람이 아닐까?' 하고 쳐다보았다. 그러고 보니 조금 모자라 보이긴 했다. 그래도 불쌍한 생각이 들어서, 내가 밑에서 받아줄 테니 같이 쌀을 부리자고 했다. 이 남자가 펄쩍뛰면서 나를 보고 한다는 소리가, 나처럼 작은 여자가 그렇게 하다간 틀림없이 허리를 다친다는 것이었다. 내 허리도 디스크로 인해 별로 성하지는 않지만 도무지 혼자 하게 놓아둘 수가 없어서 같이 하자고 했다. 그랬더니 나를 아예 이층으로 올려보내는 것이었다. 한참만에 다시 지하 창고에 내려가 보았다. 그는 다람쥐처럼 트럭에서 지하실 아래위로 땀을 뻘뻘 흘리며 열심히 쌀을 창고에 잘 쌓고 있었다. 시원한 것을 한 잔 권하면서, "당신은 다른 사람들과는 다른 것 같아요, 왜 그렇지요?" 하고 물어 보았다.

그 남자는 내 눈을 가만히 바라보면서 조그만 소리로 "Because of Jesus.(예수님 때문이지요)" 라고 짤막하게 말했다.

이 말을 듣는 순간, 몇천 마디의 설교를 들을 때보다 더 놀라운 감동이 내 온몸을 휘어잡는 것을 느꼈다. 나도 모르는 사이에 눈물이 주르르 흘러내렸다.

나는 손을 내밀면서 악수를 청했다.

"오늘 당신을 만난 것을 참으로 기쁘게 생각합니다. 당신이 오늘 내게 보여주신 일들이 나에겐 얼마나 소중하고 꼭 필요한 것들이었는지 당신은 잘 모를 것입니다."

나는 진짜 "예수 믿는 사람" 을 만났던 것이다.

자기의 잣대

우리집은 거의 격주로 주말이면 파티를 열었다. 새 집을 짓고 오픈 하우스를 하느라 많은 친구분들을 초대하곤 했었다. 교회 식구들이 모여 성경공부도 하고, 뜰이 넓다는 핑계로 대학생들이 피크닉도 했다. 테니스 코트를 짓고서는 테니스 파티도 자주 열었다. 사람 만나기를 좋아하는 남편이 핑계만 될 수 있다면 파티를 열자고 강요(?)를 해서 나는 남편 덕으로 수없이 많은 파티를 열어야 했다.

음식 솜씨가 없는 나는, 마지막 순간까지 항상 부엌에서 정신없이 바빴다. 달아 오른 튀김솥에 새우를 넣을 때마다, 쉿－쉿－거리는 요란한 소리가 나며, 중국 요리를 하느라 웍(중국 요리냄비)에 야채를 뒤적거리는 손이 바삐 움직였다.

chyme bell 이 "딩 ~동~ 댕~동~" 울린다.

"엄마! 내가 나가요."

쿵쾅거리면서 이층에서 뛰어 내려가는 큰 아들의 발 소리, 문이 열림과 동시에 놀람과 감탄의 소리가 소란스럽다.

"아이구, 얘야! 웬 키가 그렇게도 크니?"

숨이 넘어갈 만큼 놀라는 소리,

"조금있으면 하늘을 찌르겠다" "그만 커라, 바람불면 넘어지겠다." 등의 말이 서로 오가는가 하면

"쟤는 볼때마다 한자씩 더 크는 것 같아, 저를 어쩌지?"

놀람이 넘어서 걱정까지 앞세운다. 이럴 때마다 말없이 싱긋이 웃으며 손님들의 옷을 받아 거는 아들의 모습을 나는 상상해 본다. 또다른 손님이 오신다.

"아주 많이 컸구나," "잘 있었니?"

이번 손님은, 아들의 키에 놀람이나 감탄하는 강한 억양도가 없다.

우리 큰 아들은 고등학생 때 6피트가 넘었고 마른 편이어서 분명히 큰 키임에는 틀림이 없다. 나는 부엌에서 정신없이 바쁜 가운데서도, 아들의 키에 감탄하는 목소리의 강도를 듣고 키가 얼마만큼 크신 손님이 들어오시는가를, 대뜸 짐작할 수 있었다. 사람들이 키의 기준을 본능적으로 자신의 키와 비교하고 있다는 사실이 나는 아주 신기했다.

그 후 나는, 한국 식품점을 시작하여 밴을 타고 일하러 갔다. 고속도로를 달릴때 높은 밴에 앉아 조그마한 승용차를 내려다 보면 애들 장난감처럼 보잘것 없어 보였다. "체! 제 아무리 비싸다고 해도 볼품없이 작잖아. 한번만 박았다 하면 만신창이가 되겠구만," 털털거리는 밴에 앉은 나는, 괜히 어깨가 으쓱 올라가

며 차의 크기에 우월감마저 느꼈다. 그런가 하면 때로는 승용차를 몰고 가다가, "왜 저런 우악스레 큰 차를 몰고 느릿거리며 남의 앞을 가린담," 속에서 짜증이 올라온다.

그뿐인가. 약속된 시간에 늦어, 70마일 이상의 속력으로 달리며, 55－60마일로 가는 차들을 보고 신경질이다. "미련한 사람 같으니라고…, 늙지도 않은 사람이 더우기 남자가 왜 저렇게 느리게 간담, 쌕쌕 속력을 세게 내지 않고…," 혼자서 투덜대며 앞 차들을 추월하느라, 차선을 이리저리 바꾸며 달린다. 혹시 교통순경이 숨어 있을세라, 이리저리 고개를 돌려 살펴가며 열심히 달린다.

몇 시간 후, 급한 일을 끝내고 돌아오는 길은, 마음의 여유가 있다. 급하게 달릴 필요가 없어졌다. 55마일의 교통 법규를 선한 시민답게 잘 지키며 달려가는데, 다른 차들이 내 앞을 패스 하면서 달린다.

"저 사람들은 속도 제한도 몰라?" "집에서 일찍일찍 나서지 않고, 길에서 분잡을 떨어." "저러니까 사고가 나잖아!"

몇 시간 전에 투덜대던 나를 까맣게 잊고 있다.

상황과 필요에 따라 본능적으로 자기 잣대가 순간순간 변화되고 있는 사실이, 나는 아주 재미가 있었다. 그래서 "본능적인 자아 기준" 이란 용어를 나 스스로 만들어, 우리들 주위에 일어나는 일을 유심히 살펴보아왔다.

저녁을 끝내고 한가히 티비를 보고 있었다.

"여보! 갈라졌던 교회가 다시 합친다는 게 얼마나 아름다운 일일까?" 또 말을 꺼낸다. 눈은 티비 화면에 있었지만 마음은 다른 곳에 있었나보다.

"쪼개어져 가는 한국 이민 교회들이 이제는 한데 뭉쳐져야 해."

"그것이 믿지 않는 사람에게 전도의 문이 열리는 첫 관문이라고 나는 믿어,당신 생각은 어때?"

나에게 질문은 던졌지만 대답은 기대하지않고, 수십 번도 더 했던 같은 내용의 말을 계속 이어간다.

"마음 아파서 떠나갔던 여러 목사님들을 모셔 부흥회든지 어떤 형식이든 다시 만나 서로 화해하고 용서받고 용서하는 것이 우리 믿는 사람의 길이 아닐까?"

"사랑을 으뜸으로 하는 기독교의 교회가 하나로 합치지 못하는데, 어떻게 남북이 하나가 되겠나?" 남편은 침울해지기까지 한다. 남편의 의견과 바램을 귀가 따갑도록 들었다. 그러면서 나는 교회의 다른 형제들의 소리에 귀 기울여 본다.

"교회의 일은 사람이 하는 게 아니고, 하나님의 성령이 움직여야 합니다." 믿음의 연수가 많고 또한 믿음의 관록이 높은 분의 말씀이시다.

"두 교회가 서로 믿음의 자세가 다르니 어려울 거요."

"한번 헤어진 사람들이 합친다는 게 그리 쉬운 일이 아니지요,

또 헤어질 가능성이 있고, 그렇게 되면 더욱 불미스러운 일이 잖아요." 아주 조심스레 앞날을 생각하시는 분의 말씀이시다.

"지금은 때가 아니지 않습니까?"

"두 교회가 합치면 장로가 너무 많지 않아요?"

"교회가 합치면 새로운 큰 성전에서 갈라졌던 이세들이 한데 모이는 것도 아주 좋은 일이지요."

"교회가 합치는 것은 사람들의 생각으로서는 안되니 기도를 하세요" 등등의 많은 의견을 들었다. "갈라져 나오는 것은 하나님의 뜻이요, 합친다는 것은 하나님의 뜻이 아닐까?…" 많은 의견을 들으며 어리벙벙해진 나는, 고개를 갸우뚱하며 생각해보았다.

우리 교회는 13년전 한 교회에서 분리되어 나왔다. 열심히 주님을 찾고, 주님의 길을 따르고저 하는 신실함으로, 열 붙었었다. 교회 식구 한 사람 한 사람이 친형제 자매 이상으로 서로 사랑하며 집집마다 돌아가면서 성경공부를 했었다. 세월이 지나, 두 교회는 같이 성장해 나갔다. 지금은 한 교회는 자체교회가 있고 목사님이 안 계시고, 우리교회는 자체 건물을 물색중이며 목사님이 계시다. 이러한 상황에서 두 교회가 합쳤으면 하는 바람이 나온 것 같았다.

이 일로 인해 주위에서 들려 오는 의견들을 들으며, 다시 그 재미있다고 생각했던 "본능적인 자아기준" 이란 용어가 새삼스레 생각되는 것은 웬일일까?

분명히 옳고 좋은 말씀들인데… 우리가 입술로는, 하나님 말씀을 말하지만, 본능적인 자아에 기준들 두고 하나님 일을 왈가왈부 하는 것은 아닐까? 성경 말씀이라곤 귀로 듣고 흘려 버려 아무것도 남지 않은 나는, 혼자 어리둥절한 가운데 우리를 내려다보시는 하나님은 어떤 표정을 하고 계실까? 상상해 본다.

도라지 타령

밝은 웃음이 온 방안에 흘러 넘치고 있었다. "아니, 그렇다고 도라지타령을 예배시간에 부를 수는 없잖아요."

"그럼, 헌금이 바구니에 철철이 넘는다,로 할까?"

또 폭소다. 돌이 굴러가도 웃어제끼는 소녀시절이 지난 지 오래건만 말끝마다 웃음이 터졌다. 교회 연수와 함께 나이가 들어가는 자매님들이니 같이 모여 있으면 그저 마음이 통하고 말이 통하는 하나님이 맺어 준 푸근한 자매의 사이들이었다.

여기 이렇게 모였던 것은 Allegheny County Jail을 방문하여 찬송가를 부르고 목사님 설교로 그분들을 위문하기 위해서였다. 중앙교회 여전도회 회원 약 20명이 모였었다. 푸짐한 음식으로 성심껏 대접하는 교우님 댁에서 그때 부를 찬송가를 모두들 열심히 연습하였었다.

한국 사람들이니, 우리 민요를 하나 넣어 "도라지타령"을 부르기로 했고, 다음 주일예배시간에 헌금 송으로 다시 부르기로 했는데, 노래가사가 예배시간에 적합치 않아 문제가 생겼다. 결국 가사를 바꾸어 보자고 결정이 되었다. 기쁜 마음으로 연습을 하고 집에 돌아가는 길은, 눈으로 하얗게 뒤덮여 있었다. 미끄러운 길을 염려하기에 기쁨이 더욱 컸다. 운전대를 잡고 가면서 "주님, 주님, 우리 주님…" 가사가 줄줄 흘러나왔다. 한 말씀 두 말씀 마음에 새겨 내 마음이 온통 주님을 향할 때 입에서 도라지 타령이 어느새 주님 타령으로 변해 흥겨워 지는 게 아닌가! 주님의 한 말씀 두 말씀을 가슴의 바구니에 담을 때 도라지 한두 뿌리를 담고 기뻐하는 이가 상상 할 수 없는 기쁨이 나의 온 가슴을 뒤흔들어 놓았다.

주님을 사랑하고 싶어요

"따르릉" "따르릉" 전화소리가 요란하다. "하나님을 만나는 삶" 공부같이 안 할래요?"

"아니요, 난 하고 싶은 마음이 전혀 없어요."

몇 번이나 친절하고 상냥한 교우님들의 권유를 받았다. 그럴 때마다 내 대답은 항상 간단 명료했다. "아니요, 난 그런걸 좋아하지 않아요."

주보지 에서 또 목사님께서 광고 말씀하실 때부터 나는 나의 귀와 마음의 문을 벌써 닫아 버렸기 때문에 교우 님들의 권유에 정확하게 나의 의사를 표할 수 있었다.

한사람의 저자가 고안해낸 일률적인 질의응답 식의 공부 방법은 하나님을 아는 데 나에게는 무의미할 것이라고 미리 단정을 내리고 있었기 때문이다.

해가 기웃해질 무렵 우정자 집사님이 전화로 대뜸, "오늘 저녁 8시에 나랑 교회에 같이 가요."

"그ㅡ래ㅡ요…? 가봅시다." 그냥 순순히 대답했다.

따지기 좋아하는 내가 무얼 하는지 물어 보지도 않고 같이 가자고 하더니 또 따로 가자고 해도 말 잘 듣는 양처럼 나는 순순히 혼자서 교회로 갔다.

불빛 하나 없는 교회는 어둠 속에서 침울하게만 보였다.

나는 너무 빨리 가서 한 시간 정도 차 안에서 기다려야 했고 8시가 다 되어 가는데도 캄캄 소식이다.

"이상하다…?" " 내가 무얼 잘못 들었나…?"

그때서야 궁금증과 조바심이 나기 시작한다.

고개를 두리번두리번 돌리며 주위를 한참 살피는데 헤드라이트가 급속도로 빛을 날리며 파킹 장으로 내 닫는다.

"아하! 뭘 하긴 하는 모양이구나."

기다림에 지쳐 차에서 어슬렁 내렸다. 오늘 저녁 교회에 무슨 행사가 있나 물어 보기라도 하자며 어둠 속에 서 있는 사람에게로 다가갔다.

"안녕하세요?"

아주 힘차게 밝게 웃으며 반갑게 하는 인사가 정면에서 부딪친다. 유목사님이시다.

"어! 이상한데…?"

목사님이 사람을 정면에 대고 힘차게 그리고 반갑게 인사하는 걸 본 적이 없는데…? 적어도 목사님 보다 연세가 더 든 사람 앞에서는 말이다.

얼떨떨한 김에 "어디로 가야 하나요?" 교회 안으로 들어서면서 물었다. 고개를 들어 이층 대예배 당과 성경공부 하는 방을 번갈아 보면서….

"저 복도 저쪽 구석방으로 가시면 됩니다."

피곤한 다리를 끌며 "야 이거 이상한데…? 왜 구석방으로 가야 하지? 오늘은 어째 이상한 일만 생기는지 모르겠네," 고개를 갸우뚱하며 구석방 쪽으로 향했다.

조금 있으니 교회 모범생(?)들이 줄줄이 들어오신다. 알고 보니 주일예배 광고시간에 광고한 대로 모두들 미리 서명한 정해진 멤버들이었다. 나는 장소도 때도 모르고 들이닥친 불청객 꼴이 되고 만 셈이다.

어리둥절하고 멋쩍은 기분이지만 "오늘만 참아라, 다음 번에는 나는 여기 없는 사람이다." 마음속으로 나를 달래고 있는데 흰 종이가 한 장씩 사람들 앞에 놓인다.

서약서다.

모두들 서명하는데 나 혼자만 종이를 쑥ㅡ내밀고 안할 뱃심은 차마 없어 앞으로 빠지지 않고 열심히 공부하겠다는 난에 내 이름 김인숙을 써넣었다.

이렇게 엉거주춤 "하나님을 경험하는 삶"을 공부하게 된 동기를 자잘구레 설명하는 데는 나에게 이유가 있어서이다.

언제부터인가, 나는 남편이 남기고 간 남편의 성경책과 찬송가를 갖고 예배에 참석했다. 펼치는 성경책 구절구절 남편이 줄을 그어 놓았다.

가느다란 한 줄의 줄은 그 성경 구절이 수만 마디의 말이 되어 남편의 마음을 환하게 들여다 볼 수 있게 했다. 찍어 놓은 작은 점 하나까지도 가슴을 저려 오는 말이 되어 나에게 부딪쳤다.

떠나간 남편은 떠난 사람이 아니요, 내 속에서 더욱 생생히 되살아났다. 남편의 생각에 나의 생각을 맞추고 그가 무얼 원했나 그 길을 내디디며 찾아 내려갔다. 그것은 나에게 기쁨이 되었고 살고 있는 보람이었다.

"하나님을 경험하는 삶" 을 공부하면서 많은 도전을 받았고, 주님을 바라 볼 수 있는 방향을 잡아 나갈 수 있는 기분이었다.

그 중에서도 "하나님은 당신과 실질적이고 개인적이고 지속적인 사랑의 관계를 추구하십니다" 이 대목을 공부할 때, 이 사랑의 관계? 그러면 하나님과 나의 관계는? 이 질문이 나에게 던져 지며 내 온 마음과 눈이 열렸다.

25년간의 교회생활에서 허우적거렸고, 나의 신앙생활에는 기복이 심했다. 어떤 때는 주일 예배에 참석하는 것조차 나에게는 고역이었고 주일을 지켜야 한다는 것에 그저 마지못해 끌려 복종하는 태도는 나는 견딜 수 없었다.

나는 성경책도 무거워서 들지 않은 체, 습관화되어 시계추처럼 교회에 왔다 갔다 하는 나의 태도에 싫증이 났고 혐오감 마저 생겼다. 형식적으로 교회 좌석을 나는 왜 메우고 앉아 있어야 하는 걸까?

적어도 나 자신에게만이라도 정직하고 싶었다. 내가 하나님께 대한 태도는 필요할 때 달려가는 구세주였고 항상 "나" 중심이었고 나를 위한 하나님이었다.

사랑의 관계에서 나는 주님을 사랑하지 않았는 나 자신을 발견 할 수 있었다. 내가 나의 남편의 마음을 읽고 따르고 싶은 이 사랑의 관계에서 나는 실지 경험을 한 것이었다.

"네가 나를 사랑하면 나의 계명을 지킬 것이요" 즉 "네가 진실로 나를 사랑하면 기쁜 마음으로 내 계명이 지켜질 것이다"라는 말씀이 글자가 아니라 혼이 되어 나의 뇌리에 그대로 새겨졌다.

주님을 사랑하고 싶다는 간절한 마음이 솟아났다.

사위가 적막으로 가득한 한 밤, "하나님을 경험하는 삶"의 숙제를 열심히 하는데 "사랑의 만남"에 참석하라는 주님의 말씀을 계속 듣는 것 같았다. 주님을 사랑하고 싶다는 마음이 있었기에 "예, 주님 갈게요" 순순히 답했다.

내가 경영하는 가게는 토요일이 제일 바쁜데다 책임 맡고 일하는 사람이 한국에 가고 없기 때문에 전혀 내가 빠질 수 없는 형편이었다.

그러나 참석하기로 그날 저녁에 마음을 정했다.

맨 처음 이 글을 시작할 때 말했듯이 나라는 사람은 이"사랑의 만남"에도 정말 눈 한 번 찡긋할 만큼의 관심조차 없었다.

주님을 사랑하고 싶다는 마음은 있었지만 이 "사랑의 만남"의 훈련(?)에는 별 기대도 간절한 마음도 없이 그냥 나는 순종하는 마음 그것 하나로 가기로 결정하고 실천에 옮기는 것이었다.

그래서, 복잡한 세상일을 서둘어서 뒤로 하고 수양관을 향했다.

넓게 펼쳐지는 하늘에 가슴을 데이며 서투른 운전으로 교회 세 분의 자매님들을 모시고 앤티옥을 찾았다.

싱그러운 푸르름은 사방에서 다가와 찌들었던 마음을 씻어주는 것 같았다.

수양관에 차가 도착하자마자 남자 분들이 뛰어 나와 반갑게 맞아주었다. 솔선해서 짐을 들어주며 베푸는 친절, 남자 분들의 평상시 해 보질 않아 익숙지 않은 서비스와 서비스를 받는데 익숙지 않은 여자 분들의 표정은 당혹함과 어색한 것만 같았다.

맹숭맹숭한 기분으로 시작한 "사랑의 만남" 은 꽉 짜여진 스케줄로 끌고 나갔다. 봉사자들의 진지함, 헌신적인 베품은, 나의 맹숭한 껍질을 한겹한겹 벗겨져 나가게 했다.

목사님이 한 영혼,영혼을 사랑해서 부르짖는 절규는 나의 맹숭의 모든 껍질을 완전히 벗겨버렸다.

십자가 뒤의 촛불만 가늘게 흔들리고, 어둠이 무겁게 눌리고 있는 기도의 방, 중보의 기도와 회개의 기도가 온 방안의 공기를 뒤흔들 때, "주님! 주님을 사랑하고 싶어요" 마음에서 벅차 오르는 나의 염원. 내 힘으로는 도저히 할 수 없는 염원.

"주님! 저를 좀 도와주세요."

"주님을 진정으로 사랑하고 싶어요."

절규가 울음이 되어 나왔다. 십자가에 못박히신 주님이 나를 위해 죽으셨다는 구원의 확신이 가슴 저 밑바닥에서 일어 났다.

나는 구원을 받았나, 안 받았나, 기분에 따라 수시로 변해 십자가의 보혈은 나로 하여금 부담을 느끼게 했었다.

믿음은 바라는 것들의 실상이요 보지 못하는 것들의 증거니 (히브리서 11장 1절)

주님을 사랑하고 싶다는 나의 이 바램이 실상으로 나타나리라는 믿음을 갖고 하늘을 날 것 같은 마음으로 수양관을 떠났다.

너무 긴 간증 같아서 줄이려 했지만 한가지 더 말씀 드려야 겠다. 우리교회에서 간혹 찬송가에 따라 율동을 한 적이 있었다.

권사님들께서 열심히 그리고 너무 진지한 모습으로 그 율동을 따라 하시는데 남이 올리면 내리고, 내리면 올리는 뒤죽박죽의 율동이 유독 나에게는 너무 우습고 재미가 있어 입을 함박같이 열고 소리 없이 웃어제꼈다.

어느 날인가, 나의 벌린 입이 채 다물어 지기도 전에 나도 권사님들처럼 올릴 때 내리고,내릴때 올리는, 뒤죽박죽 율동을 하는 모습을 보았다. 그런 모습을 인정하고 싶질 않아 아예 나는 따라 하지 않았다.

그런데 이번에는 윤형란 집사님의 가슴에서 우러나는, 하나님께 드리는 온몸의 찬양은, 나는 나의 뒤죽박죽의 율동을 인식함도 없이 거침없이 해 냈다.

오랫동안, 나는 어깨가 굳어져서 팔을 올릴 수도 뒤로 돌릴 수도 없어 어깨의 통증과 함께 아주 힘들어했다. 첫날도 어깨위도 올라가지 않는 팔을 올리고 열심히 따라 했다.

이튿날, 율동 중에 어께 위로 올라가 있는 나의 팔을 보고 나는 깜짝 놀랐다.

옆에 있는 자매님을 꾹 찌르며 "내 팔 좀 봐요" 어리둥절해 있는 자매님을 그냥 두고, 팔을 뒤로 돌려보았다. 그것도 된다.

그러고 난 다음 "자매님 나는 그 동안 오른쪽 어깨가 굳어져 팔을 움직일 수가 없었거든요."

"할렐루야! 하나님."

그 자매는 나를 힘껏 껴안아 주며 기뻐했다.

(후기)

"사랑의 만남"을 갔다 온 지도 거의 한 달이 다 되어간다. 끊임없이 스며나는 눈물에 내 눈은 젖어 있고, 불순물로 가득했던 나의 가슴은 정결해지는 것 같다. 시커멓게 멍들었던 마음은 깨끗해져 내 주위에 껄끄럽게 느껴지던 모든 사람을 다 사랑하게 된다. 그리고 내 귀는 당나귀 귀처럼 늘어나 주님의 소리를 찾는다.

이렇게 내 마음은 거대하게(?) 변했지만 나의 겉에 나타난 모습은 나와는 상관없다고 생각한 금요 성경공부와 무언으로 완강하게 거절해 왔던 구역예배를 솔선해서 나가는 것뿐이다.

남들은 응당 다 하고 있는 것을 나는 뒤늦게 시작하며 혼자 기뻐하며 걷잡을 수 없는 즐거움이 속에서 용솟음 치는 것은 아무래도 주책(?)인 것 같다. 주책이라도 좋으니 "하나님 이 마음 제발 지속되게만 해주세요."

"오뚝이처럼 제 자신이 팔딱 팔딱 잘 일어나는 것 이제는 제발 그만 하도록 도와 주셔요. 아멘."

간절한 마음으로 주님께 기도드린다.

사랑만이

"안녕하세요?" 고개를 꾸벅하며 인사를 한다. 교회 앞마당에서 낯선 사람에게 인사를 받는데 생소한 나는, 누굴 보고 인사를 하나, 주위를 두리번거려 보았지만 나밖에는 아무도 없다. 밝은 웃음을 띤 맑게 생긴 훤칠한 키의 우리 한국학생 두 명. "낮이 선 처음 보는 청년들인데…?"

속으로 생각하면서도 어느새 그 밝은 웃음이 내 마음속까지 환―하게 전해 온다. 금세 친근감이 간다.

"안녕하세요?"

답하는 나도 온 얼굴에 웃음이 절로 번진다. 오늘이 나의 주일 다과담당이라 예배시간보다 일찍 교회에 왔다. 내가 차 뒤로 돌아가 차 트렁크를 여는 것을 본 학생들이 "무엇 도울 것 없어요?" 하며 내 차 가까이로 다가선다.

열린 트렁크 속에 가득 들어 있는 도낮츠와 마실 것들을 손가락으로 가리키며 "이것들…."

나는, 젊고 싱싱한 두 얼굴을 번갈아 보며 부탁하는 웃음을 웃었다.

내 얼굴에서 웃음이 사라지기도 전에, 그들은 마실 것이 든 무거운 상자를 번쩍 든다. 가볍고 날쎈 몸짓으로 물건들을 나르더니, 삽시간에 트렁크 속에 들었던 다과는 교회 부엌으로 다 옮겨졌다.

속에서 우러나는 밝음과, 자진해서 남을 도우려는 그 청년들의 싱싱한 사랑이, 내 가슴속 쪼그라져 가는 사랑의 풍선에 새 입김을 확 불어넣은 듯 가슴속 풍선은 붕 뜬다. 가볍고 즐거움이 넘쳐흐른다.

서로간의 인사나 솔선해서 남을 도우는데 인색(?)하게 살아온 우리 국민성 때문일까? 교회 앞마당에서도 서로간에 고개를 숙여 인사는커녕 개적인 관계가 없으면 무표정한 얼굴로 그냥 지나쳐 버린다. 같은 교회에 다니는 사람들도, 누가 무거운 짐을 힘겹게 들고 가도, 서로 친분이 없으면 그냥 지나쳐 버린다.

주일마다 정거장으로 몰려드는 승객들처럼 서로간에 무표정하며 꾸역꾸역 교회 앞마당을 거쳐 교회 안으로 들어가는, 교회 시작의 첫 순간부터 나의 마음은 납덩어리처럼 무겁다. 얼마 안 되는 교인들 중에서도 아는 사람끼리만 인사를 하며, 낯선 사람은 언제나 낯선 사람으로 일관하다, 언젠가 모르게 그 낯선 사람들은 슬며시 사라져 버리는 우리교회의 풍토(?). 너 그러고 나 그러는데 너무도 익숙한 나는, 그 풍토에 듬뿍 젖어 그렇고 그렇게 물 흐르듯 흘러만 가다,

멈칫!

그 젊은 두 청년의 모습이 너무도 귀하게 눈앞에 다가선다.

한마디하고 싶어요

물그릇에 물이 흘러 넘치면 큰그릇으로 바꾸든지 물 붓기를 그만 해야 하는 건 정한 이치입니다. 옷이 작아지면 큰 옷으로 바꾸어 입어야 하는 건 너무나 자연스러운 일이고 당연한 일입니다. 우리는 가끔 너무나 자연스러운 일을 예수님 이름과 함께 몹시 복잡하게 만들지나 않는가 하고 저는 생각해 봅니다.

어른 성도와 주일 학교 어린이를 합쳐 300명인 교회에다, 건축 헌금 불을 저축하고 있는 우리교회가 자체성전 마련에 하나님의 뜻에 왈가왈부 하는 것을 보고 저는 어느 부흥 강사님이 들려주신 한 예화가 생각납니다.

폭풍우가 쏟아졌습니다, 홍수사태가 났습니다,

"이쪽 강가에 사는 사람은 모두가 즉각 대피하라."

긴급명령이 내렸습니다,

그러나 신앙심이 돈독한 한 할아버지는 그들의 경보를 무시했습니다. 구출 대가 그 할아버지를 구출하기 위해 보트를 보냈는데 할아버지는 거절했습니다. 그 신실한 기독교인 할아버지는 하나님의 음성을 듣기 전에는 일보의 양보도 할 수 없었습니다. 헬리콥터가 그 할아버지 집 위로 빙빙 돌면서 줄을 내렸습니다. 이미 홍수사태가 터지기 일보직전이라 아무도 그 집을 접근 할 수 없었기 때문이었습니다. 그 할아버지는 무릎을 꿇고 열심히 하나님의 음성을 찾았습니다. 그러나 들리지 않았습니다. 기진맥진한 헬리콥터의 구출대원들은 포기하고 돌아서자 무섭게 몰아치는 물줄기는 할아버지의 집을 삼켜 버렸습니다. "하나님! 나를 왜 버리십니까?" "나는 하나님을 끝까지 믿고 기다렸는데 하나님은 어찌 나를 구해 주지 않으십니까?" 센 물살에 휩쓸려 가며 하늘을 보고 원망하는 할아버지에게 하늘에서 소리가 났습니다." 나는 너를 위해 피하라는 경보도 내렸고 보트도, 헬리콥터도 보냈지만 너는 내 말을 듣지 않았다."

이 예화는 이런 계기마다 저에게 되살아나곤 합니다.

성도수가 늘어 예배 실에서는 앉을 자리도 비좁고 다과 실에는 피난민 수용소처럼 북적일 만큼 교인이 많아진 것도, 그 동안 많은 건축헌금이 모인 것도, 하나님이 우리에게 이 모든 것을 준 것도, 하나님이 우리들에게 무슨 말씀을 하고 계시는 것이 아니겠습니까?

주일학교를 생각해봅니다.

부모의 결정에 덩달아 이민생활의 고역을 치르는 우리들의 자녀들 말입니다. 외모와 언어가 달라 미국의 학교생활 속에서도 푸대접을 받는 우리들 자녀는 한국교회, 우리 부모가 다니는 이 교회 안에서도 또한 푸대접을 받고 있습니다. 육이오 사변 때 칸칸이 방에서 공부하던 때를 연상케 하는 주일학교, 한글학교를 어린이의 천국의 나라 미국의 땅에서 우리는 태연자약하게 행하고 있습니다. 파킹 장에서 차 틈을 비켜가며 비슷하게 생긴 친구들과 마음 터놓고 공차기라도 하면서 그 동안 구겨진 마음을 활짝 펼치고 싶은데… 금지령이 내립니다. 이것도 저것도 하지 말라는 금지령은 애들 마음을 침울하게 하고 애들의 설자리를 뺏는 결과가 됩니다.

또한 남의 교회 셋방살이 신세에는 애들이 귀찮기만 합니다. 음식을 떨어뜨리고 남의 기물을 망가뜨리니 어른들은 조바심이 납니다. 우리 자체성전에는 그렇게 해도 된다는 말은 아닙니다. 그러나 내집과 셋방살이의 부모가 애들에게 대하는 태도가 근본적으로 달라지며 그에 따른 애들의 성격형성도 달라진다는 주요점을 말씀드리고 싶기 때문입니다.

"너희들은 나를 멸시해도 너희들이 갖지 않는 우리 한민족의 뿌리 속에서는 나는 너무나도 귀한 존재이다" 하고 가슴 뿌듯이 넘쳐나는 자부심을 가질 수 있게 우리 애들을 키울 수 있다면… 하는 강한 바람은 우리 부모 모두가 갖고 있는 것입니다. 하나님이 우리에게 주신 선물의 귀한 자녀를 보다 나은 환경에서 건전한 성격의 인격체로 키워야 하는 것은 하나님이 우리 부모에게 주신 첫 과제가 아니겠습니까?

"우리자체 성전이 급한 거냐, 선교는 하나님의 명령이다"라고 하셨습니다. 하나님이 선교를 명령할 만큼 중요한 사실이라면 그 명령 속에 담긴 의미야말로 너무도 중요한 사실이라고 생각합니다.

그러나 "선교가 하나님의 명령이다"를 부인하는 것은 아닙니다. 제가 말씀드리고 싶은 것은 "선교는 하나님의 사랑에 감격해서 일어나는, 순종의 자연현상(?)이어야 한다"라고 강조하고 싶은 것입니다.

자연현상이라면 말이 모순이 될지 모르지만 우리들 가슴속에서 우러나와야 한다는 말입니다. 누가 선두에 나서서 "선교는 하나님의 명령이다"라고 한 부대를 호령으로 끌고 나가는 것이 아니어야 한다고 생각합니다.

한사람의 가슴에 하나님의 사랑의 불씨를 심어주면 그 불씨는, 이웃가슴에 사랑의 불을 붙일 것입니다. 이것은 극히 자연스런 현상입니다. 우리 교회 안에서부터 시작하여 주님의 사랑을 불러일으키는 것이 어떻겠습니까?

제일 중요한 것은 나 자신이 주님과의 관계가 성립되어 사랑의 불이 붙어야 하는 것입니다. 먼저 나와 우리 교회를 일깨워야한다는 것은 아무리 강조해도 지나치지 않은 것인 줄 압니다. 이 과정은 이기적이 아니고 하나님의 말씀을 전하는 데 필수불가피의 준비 단계 일 것이라 생각합니다.

지금 우리가 처한 셋방살이의 교회 구석구석을 살펴봐 주세요.

떠돌이의 마음가짐이 되기 쉬운 셋방살이가 아닙니까?

먼저 우리 자체성전을 마련하여 마음껏 하나님 말씀을 배우고 제한 받지 않고 모든 스케쥴을 만들어 우리들 자신을 훈련(?) 시킬 수 있게 말입니다.

그래서 우리교회가, 주님 사랑의 불꽃이 우리자신의 가슴속에서 일어나게 하여 나의 가정에서 이웃으로, 이웃에서 사마리아 저 끝까지 아름답게 피어나가도록 해야 할 것이라 믿습니다.

"너희가 사랑 가운데서 뿌리가 박히고 터가 굳어져서" (에베소서 3;17)

자체성전은 뒤로하고 선교부터 하자는 말씀에 대해 자체성전을 먼저 마련하자는 저의 생각을 한번 말씀 드리고 싶었습니다.

마음 속의 균

이상적인 조건 아래서 박테리아 한 마리가 두 마리가 되는 것은 15－20분이 걸린다고 한다. 즉 부폐하는데 이상적인 조건이란: ① 적당한 온도(실내 온도) ② 적당한 습기 ③ 영양분(담백질이 풍부한 음식) ④ 시간.

위의 이상적인 조건은, 사람들이 살아가는데 필요한 것과 균이 번식하는데 필요한 것과 같다는 것이 흥미롭다.

15분이나 20분 사이에 한 개의 균이 2개가 되고, 40분에 4개가되는 비율로써 8시간 동안에 16 밀리언이라는 엄청 난 균이 번식한다고 한다.

슬쩍 지나쳐 버린 친구의 말 한마디,

"그애는 말이 많으니 조심하세요."

단 말 한마디가 어느새 서운함의 한 방울이 되어 가슴속에 떨어졌다.

"무슨 말을 하고 다녔길래 왜 그런 충고를 하는 걸까?"

서운함의 방울이 하나가 둘이 되고, 둘이 네 개가되는 비율이 박테리아가 번식하듯 번식한다. 왜 마음속의 꺼림칙한 것이 점차로 커져가며 나는 속상해 하는 것일까? 생각해본다.

"그애를 너무 귀여워하고 믿었던 걸까?"

"남의 입에 내 말이 올려진다는 게 자존심이 상한 건가?"

"내 앞에서는 진실한 척 뒤에서 딴 짓 하는데 노여움이 생긴 걸까?"

여하튼, 그 사람에 대한 서운함이 점점 자라 그 사람으로부터 마음과 감정이 격리되고, 미움의 씨앗이 싹 튼다. 그 미움을, 마치 동화책 속에 나오는 파란 콩의 줄기가 구름을 뚫고 하늘 속으로 치솟아 가는 것을 연상 할 만큼 급속도로 자라게 한다.

땅바닥에 떨어져 죽은 뱀을 보았다. "악!" 소스라쳐 놀라다 힐끗 천장 석갈래를 올려다보았다. 어느새 새끼를 까서 뱀의 대가리들이 쑥쑥 고개를 내민다. "으-악" 소리를 치며 기겁을 하여 뒤로 사빠지는데, 작은 새끼 뱀 한 마리가 내 가슴 위에 뚝 떨어졌다.

무서워 부들부들 떨리는 손으로 잡아당기는데 반쯤은 뗐는데 다 떨쳐지지가 않는다.

"으-악! 으-악!" 기절하듯 넘어가는 내 소리에 놀라, 잠을 깼다. 온 몸에는 땀이 흥건히 베였고, 손은 계속 부들부들 떨고 있다. 아직도 가슴 한가운데는 뱀의 새끼가 그대로 붙어 있는 것 같다.

이 세상에서 제일 무서워하는 뱀, 뱀이라는 낱말만을 입에 올려도 온 몸에 소름이 끼치도록 무서운 뱀, 그 뱀을 본 꿈, 그 악몽이 도대체 나에게 무엇을 말하려는 것이었을까? 미움을 갖는다는 것은 가슴속에 뱀의 새끼를 키우는 것과 같다는 것이었을까…?

틀림없이, 나의 마음 밭은 악을 급증시킬 수 있는 최상의 조건을 가지고 있었나보다. 그러면, 어떤 상태였을까?

적당한 온도; 이웃을 사랑하는 뜨거운 열기가 없이 미지근한 온도.

적당한 습기; 말씀이란 태양과 멀어져 독버섯이 자랄 수 있는 습기가 가득한 늪지대.

풍부한 영양분; 자아를 편협되게 사랑하는 삐뚤어진 마음.

시간; 하나님과 이별한 긴 시간.

이러한 조건이, 서운함이란 조그마한 균을 부추겨 무섭도록 미움이란 악을 자라게 했던 것은 아닐까…?

수없이 많은 괴롭히는 말들이, 내 귀에 들어와, 내 가슴에 닿아도, 악이 자라지 않는 마음을 가지고 싶다. 그런 마음은 어떤 마음일까…? 고개를 떨어뜨리고, 나의 가슴속을 들여다보며 깊은 생각에 잠긴다.

어느 책에서 본 겸손이란 글이 가슴속에서 되살아난다.

겸손이란 마음의 고요함이다／그것은 탐욕이 없는 상태이며／자신에게 일어난 어떤 일에도 놀라지 않는 것이다／또한 해로운 일에 과민 반응하지 않는 것이며／칭찬을 받거나 멸시를 받아도 동요하지 않는 것이다／그것은 세상 살아가는 일이 참으로 어렵고／고통스러울 때 조용히 하나님 앞에 무릎 꿇고／기도함으로써 침묵의 바다와도 같은 평화를／얻을 수 있는 마음이다／사람이 겸손한 마음을 갖는다는 것은／은총의 보금자리에 있다는 뜻이다 —앤드루 머레이

겸손한 마음을 갖고 싶다.
은총의 보금자리에 있고 싶다.

새 성전으로 옮기면서

98년 12월 20일 온 교인이 고대하던 새 성전에서 오늘 첫예배를 드렸다. 새 성전의 입당을 축하하러 오신 낯선 많은 얼굴에 고마운 마음이 갔고, 피츠버그의 교포님들과 미국분들의 그 따뜻한 마음씨에 왠지 가슴이 훈훈해 오는 것 같았다.

새로 이사 온 이 성전을 밖에서 볼때에 원형의 인상을 주는 돌로 만들어진 아담한 건물에 많은 스테인 창문이 너무나 인상적이었다. 교회정문을 지나 옆으로 나 있는 묵직한 문을 열고 들어섰더니, 앞이 환히 트인 실내방이 나왔다. 왼쪽에는, 유리 문안으로 예배실이 있었다. 강대상을 중심으로 네 줄로 의자가 놓여져 부채모양으로 퍼진 듯한 성전 안에는 예배드리는 분들로 꽉 메워져 있었다.

입당일이 공교롭게도 성탄절을 맞이하는 예배라 솔잎과 빨간 리본으로 장식되고 앞에 놓여진 많은 포인트 센치아 꽃은 성전을 더욱 화려하게 보이게 했다. 눈에 설익은 아름다운 스테인 그래스의 유리창들은, 목사님의 열정어린 설교에서 집중력을 흐트러뜨렸다. 마치 시골 아낙네가 갑자기 비단 옷을 걸치고 부스럭거리는 소리가 생소해서 비단 옷에만 신경을 쓰고 있는 꼴이었다. 아기를 안은 예수님, 제자의 발을 씻기시는 예수님등, 색깔로 그려놓은 유리창은, 아침 햇살을 받아 은은히, 선명한 모양을 드러내고 있었다. 천정은 검정자주 색으로 피라밑 형으로 올려져 있고, 8개의 촛불 모양의 고풍어린 등들을 달아 내리고 있었다. 정면에는 황금색으로 치솟은 파이프 올갠의 파이프가 더욱 성전 안의 분위기를 엄숙하게 하였다.

18세기로 뒷걸음친 듯한 분위기 속에서 "정말 이것이 그렇게도 고대하던 우리들의 성전인가…" 하고 연방 고개를 돌려가며 둘러보지만 꿈만같아 실감이 나지 않았다. 17년 간 너무나도 고대해온 우리의 바램이 현실로 나타났을 때 도리어 얼떨떨한 심정이 되는 것은 웬일일까?

위층에서부터 아래층까지, 구석구석 많은 분들의 수고의 손길로 아주 깨끗하고 살뜰하게 꾸며저 있었나. 널씩한 부엌에서 새로운 부엌장비까지 우리의 살림살이라는 게 여간 흐뭇하지가 않았다. 그동안 나는 아무것도 도우지 못하여 죄송스러운 마음과 수고하신 여러 교우님들에게 감사한 마음으로 이곳저곳 속속들이 살펴보았다. 이것이 17년 간 기다리던 우리의 성전이라는 감격을 새삼스레 만끽하면서….

지하실, 부엌에서 올라오는 음식 냄새도 마음놓고 힘껏 들여 마셨다. 미국사람 코에 한국 음식 냄새가 어떻게 맡아질까 염려하지 않아도 되었다. 즐거운 잔치기분으로 모두들 아래층 다과실로 내려가셨다. 나는 다과실로 내려가지 않고 밖으로 나왔다. 찬바람이 얼굴을 스쳤다. 차들이 총총 박혀있는 교회 밖 주택가를 걸어 차를 주차한 곳으로 걸어갔다. 차를 서서히 운전하여 5분 거리에 있는 옛날 우리 교회를 찾았다.

단촐하게 지어진 자그마한 교회, 17년 간 한인 교회의 많은 이야기를 담고 있는 그 교회를…, 나는 커다란 필럽스 성당을 돌아서 보도길 옆에 차를 세웠다. 가로수 아래 보도길을 천천히 걸으며 나는 생각에 잠겼다. 얼마나 많은 발자국을 이 보도길에 남겼을까? 두 쌍에서 한 쌍으로 변했던 발자국을 이 보도길은 알고 있었을까? 총총 걸음걸이에서 무거운 발걸음으로 변해가던 것도….

교회앞 주차장에는 서너 개의 차만 있었다. 주차장의 시멘트 바닥에서 많은 소리가 들려오는 것 같았다. 애들의 놀던 소리, 웃던소리, 반기며 인사하던 소리, 잘가라고 안녕을 외치던 소리, 그 모두가 시커먼 시멘트 속으로 다 빨려들고 잠잠한 정적으로 체워졌다.

"덜커덩" 소리를 내며 닫히던 교회의 정문을 열고 안으로 들어섰다. 친교실로 내려가는, 닳아서 반들거리는 4개의 시멘트 층계, 예배실로 올라가는 카핏 층계를 올려다보며, 갑자기 낯선 사람이 되어 그 자리에 우뚝 서 버렸다. 그렇게 많이 오르내리던 층계를 한 발자국도 옮길 수가 없었다.

"Korean chuch moved, You didn' t know that?(한국 교회가 이사갔는데요, 몰랐어요?)"

친절한 목소리가 뒤에서 들려왔다.

"……."

나는 고개만 끄덕였다.

입만 벌리면 막아둔 봇물이 터질것만 같아서….

이 교회에서 갓난아기가 태어나서 걸음마를 시작하고, 유치원을 가고, 초등학교, 고등학교, 어느새 청소년이 되어 운전을 시작하고 그래서 다 자란 인격체를 만든 17년의 긴긴 세월, 애들이 자랐던 만큼 나의 신앙도 자랐으면 좋았으련만….

신앙은 자라지 못했어도, 나에게는 너무도 깊은 이야기가 있는 교회, 남편의 손길이, 남편의 목소리가 구석구석 배어 있는 교회, 17년 전 이 교회를 들어서면서부터 자체교회를 꿈꾸어왔던 남편이었고. 그 꿈을 가슴에 안고 하늘나라로 간 남편이었다.

96년 1월 3일 주일날, 눈보라가 몰아치던 날 안내시간 맞추느라 있는 힘을 다해 교회에 도착하여, 안내원으로 예배실 입구에 지친 듯 앉아 있던 남편, 그 다음 주일, 1월10일 케스킷 안에 누워 강대상 앞에 있던 남편, 온 교인의 사랑의 손길로 남편을 떠나 보냈던 이 교회, 아직도 실감이 나지 않은 채 3년이란 세월이 흘렀다. 새 성전이 좋다고 몸과 마음이 한꺼번에 달려가기엔, 너무나 많은 이야기들을 안은 이 교회가, 나의 발걸음을 잡는다.

정든 교회를 등지고 투벅투벅 차 있는 데로 걸어갔다.

"지나간 일에 너무 미련을 두지마오, 우리 모두가 그렇게도 원하던 자체 성전이 아니요," 남편의 굵은 목소리가 들리는 것같다.

"그리고 새 성전에서 열심히 신앙생활을 하오."

몽골 선교기행문

순종 그리고 나

"주님! 주님의 뜻에 순종하게 도와주소서." 이 짧은 기도가 " 사랑의 만남"을 갔다 온 후 제 가슴속에 오랫동안 흐르고 있었습니다. 저는 워낙 저의 생각과 감정에 전적으로 의지하고 행동하며 긴 세월을 살아왔기 때문에 "순종"이란 저에게는 너무나 힘에 벅찬 어려운 과제였습니다.

"하나님을 경험하는 삶"에서 배운 것은 살아 계시는 하나님을 만나고자 하면 "하나님 뜻에 순종하라"는 것이었습니다. 저는 하나님을 직접 만나고 싶었고, 성경 속에 갇혀 있는 상상 속의 하나님이 아닌 실질적인 하나님의 존재를 추구하고 싶었습니다. 살아 계시는 하나님과 동행하는 삶이란 어떤 고난을 동반할지라도, 상상만 해도 전율을 일으키는 어마어마한 기쁨일 것이라고 생각도 해보았습니다. 하나님을 믿고 있다고 한 얄팍한 나의 의식은 하나의 사치스런 착각(?)일 뿐, 나의 사고, 나의 감성의 움직임대로 살아온 것은 사실 하나님의 존재를 믿지 않는 데에 기인한 것임을 깨달았던 것이었습니다.

이번 선교에 가게 된 동기는 저에게 주어진 하나님의 뜻에 순종함으로 "하나님의 얼굴을 직접 뵙고 싶다"는 간절한 마음과 얼마 남지 않은 이 땅에서의 나의 삶을 가치 있게 남을 위해 바칠 곳을 찾아보고 싶었던 것이었습니다.

조그마한 가방에 찬송가가 달린 성경책 한 권과 옷 몇 가지만을 넣고 저는 간단히 떠날 준비를 끝내었습니다.

◇ 97년 9월 21일 주일, 저녁

피츠버그 공항에서 많은 교회 성도 님들의 격려와 환송을 받으며 내 키보다도 더 큰 검은 색의 자루 열 여섯(선교 지에서 쓸 약품과 의료 기구 및 그곳 교회에서 필요한 물품들로 채워진 것들임)을 끌고 목사님을 위시한 단기 선교단 8명은 비행기에 탔습니다. 커다란 몸체의 비행기가 3개의 작은 바퀴에 얹혀서 덜덜거리며 걸음마를 하더니 속도가 가해지며 어둑어둑한 하늘을 향해 솟아올랐습니다. 저의 생각, 저의 뜻으로는 상상도 못했던 것이 하나님께 순종의 나래에 타 미지의 세계로 치솟아 가는 기분이었습니다.

◇ 한국에 도착, 비행기를 갈아타고 몽골로 가는 비행기에 탔습니다. 손바닥만한 크기로 뚫린 비행기의 창가에 이마를 대고 구름 위에서 아래를 내려다보았습니다. 짓푸른 서해를 거쳐 시꺼먼 사막의 연속인 몽골의 땅이 눈 아래에 펼쳐졌습니다. 사람이 살수 있을 것 같지 않는 곳에 메마른 젖줄기 같은 강이 몇 갈

래 흐트러져 있었습니다. 거의 4시간을 지나니 부드러운 능선을 타고 끝없이 펼쳐진 사막에 성냥 각 같은 촌가들이 옹기종기 모여 있었습니다.

저는 살아 계시는 주님과 만나고 싶음과 마지막 제 생애를 바칠 곳에 대한 저의 생각이 오히려 짐이 되어 가슴을 짓누르는 무거운 감에 자꾸만 기분이 착잡해져 갔습니다.

◇ 우리가 내린 곳은 ULAN BAATOR. 몽골의 수도였습니다. 끝없이 넓은 터에 비행장은 초라하지만 새 건물인 양 깨끗했습니다. 한라산 높이의 고지대(해발 1600미터)인 여기 몽골은 하늘이 야트막하다고 했습니다. 툭 트인 대지에 공기는 말할 수 없이 신선해서 심호흡이 절로 나와 상쾌하고 깨끗한 바람은 폐부까지 씻어 주는 것 같았습니다.

비행장 밖으로 나오니 눈에 익은 노랑 색의 스쿨버스가 찌그러진 모습 그대로 우리를 기다리고 있었습니다. 세관에서 우리가 가지고 간 많은 약들이 전혀 통과되질 않았기 때문에 우리 모두는 어깨가 축 처져 지친 모습이었지만 어떻게 되겠지., 주님의 일이니 주님께 맡기자 하는 여유 있는 마음이었습니다.

흙먼지를 풀썩풀썩 날리고 울퉁불퉁한 길을 삐꺽거리며 이 고물 노랑 스쿨버스는 잘도 달렸습니다. 양쪽으로 쭉 늘어선 평지에는 누런 잔디가 비를 기다리는 듯 볕에 타고 있었고 몽골인들이 말을 타고 내달리는 모습이 보이는 듯했습니다. 군데군데 일그러진 판자촌과 "게르" 라고 불리는 동그란 원형의 몽골 특유의 집이 눈에 띄었습니다.

◇ 미국에서 50여 시간을 달려온 이곳이 어쩌면 한국 내에서 이 도시에서 저 도시로 옮긴 것같이 가깝고 또 그렇게도 친밀감을 느끼게 했는지 모를 일입니다. 그것은 아마도 가난했던 우리나라를 연상케 하고 외모의 생김새와 조상이 같기(?) 때문이 아닌가 생각되었습니다. "울란 바토르"의 시내는 옛날 러시아가 지어주었다고 하는 굵직한 건물들이 듬성듬성 세워져 있고 앙상한 가로수는 짙은 가뭄을 말해 주고 있었습니다.

◇ 대학가 근처에는 가죽옷, 가죽 부츠 차림의 멋쟁이 아가씨들이 눈에 많이 띄었습니다. 시내를 벗어 난 변두리에는 "게르"가 한마을을 이루고 있고 비쩍 마른 늑대 모양의 개들이 힘없이 어슬렁어슬렁 다니고 있었습니다. 마을 한가운데는 서너 명의 아이들이 돌 투성이의 언덕 오르내리기를 하며 힘차게 놀고 있는데 뺨들이 유달리 빨갛고(고지대로 인해 산소 결핍증의 현상이라고 했음) 얼굴이 새까맣고 반질반질했습니다. 물이 너무도 귀해 양칫물을 그대로 손바닥에 받아 눈곱을 떼고 얼굴 한가운데를 쓱 문지르면 세수가 끝난 것이라고 했습니다. 몽골 특유의 집 "게르"는 천으로 동그랗게 만든 천막을 중앙에 우뚝 선 탄탄한 기둥을 중심으로 쳐 놓은 것이었습니다. 침대 모양인 잠자리가 벽쪽으로 3개가 놓여 있고 중앙은 부엌으로 굴뚝이 달린 스토브와 냄비 몇 개와 식기 도구가 어지러이 널려 있고 그 중에도 조그마한 흑백 티비가 놓여 있는 게 퍽 인상적이었습니다. 대낮인데도

이 집의 가장인 듯한 중년 남자가 술에 곤드레만드레 취해 정신 없이 자고 있었습니다. 이 나라의 큰 문제점의 하나가 청소년에서부터 술 중독자가 너무나 많다는 것이었습니다 최순기 선교사님은 이 문제도 기독교를 전파함으로써 해결할 수 있다고 보고 계셨습니다.

◇ 우리는 정해 놓은 숙소에서 짐을 풀었습니다. 샤워 장과 부엌이 붙은 조그마한 아파트였습니다. 저녁에 최순기 목사님과 사모님 그리고 교회 지도자 청년 7명이 우리를 방문했습니다.

기타를 치며 한국말로 많은 찬송가를 너무나 은혜스럽게 불었습니다. 찬송가의 책을 보지 않고는 한 절도 제대로 부를 수 없는 제 자신이 부끄러웠습니다.

이들 7명은 깡패, 불량배로써 방황된 삶을 살았지만 하나님을 만나고 난 뒤 이 젊은이들의 삶이 180도로 변화되었고 그것은 곧 하나님께 영광을 돌리는 삶이었습니다. 이들의 참되게 변화된 모습에서 제자신도 변화 받고 싶다는 간절한 염원이 생겼습니다. 나의 반평생을 교회를 왔다갔다한 나는 도대체 어디에 와 있단 말인가? 자신의 모습을 깊이 내려다 보게 했습니다.

◇ 우리는 몽골에서 의료 진료를 두 번 했는데 환자가 아주 많았습니다. 가난과 질병에 찌던 이들을 먼저 찾으신 주님의 마음을 읽어보고 싶었습니다. 권위와 부만이 살길이라고 허둥지둥 쫓

아가는 우리들 인생과는 정반대의 길이었습니다. 주님의 겉모습을 모방해서 의료진료 팀에 나와 있는 내가 언젠가는 모방이 아니라 마음속에서 일어나는 진실된 마음에서 주님의 가르침을 본받아 나가고 싶었습니다. 환자와 우리를 통역한 몽골의 대학생들은 모두가 예쁘고 아주 영리했으며 뜨거운 믿음을 갖고 있는 젊은이들이었습니다. 이들을 통해 밝은 몽골의 미래를 보는 듯했습니다.

진료를 끝내고 돌아올 때에는 낮게 내려앉은 하늘에서 굵게 튀어나온 별들이 머리 위에서 유난히 빛나고 있었습니다.

◇ 우리 일행은 3일 후에 몽골을 떠나 중국의 에스시로 가기 위해 북경에 도착해서 하룻밤을 호텔에서 묵었습니다. 이곳은 뉴욕 시내를 무색케하는 고층건물들이 네온사인들을 깜빡이며 각 건물의 독특한 미를 마음껏 자랑하고 있는 것 같았습니다. 새벽 4시에 기상, 에스 도시로 향한 비행기를 탔습니다. 창공에서 보이는 곳에는 흰 거품을 물고 이는 파도같이 산맥들이 안개를 자욱히 끼고 출렁이는 것 같았습니다. 끝없이 펼쳐진 기름진 땅은 모래흙으로 바싹 말라 나무 한 그루 없는 몽골 땅과 심히 대조적이었습니다.

◇ 이곳에 도착하자 우리는 선교사님의 안내로 옛날 고구려 땅 이었다는 옥토가 눈이 닿는 데까지 까마득히 펼쳐진 가운데를 가로질러 갔습니다. 그 주위를 둘러싸고 내려오는 산맥이 푸

른 숲을 안고서 병풍처럼 둘러싸인 곳이었습니다. 2시간 정도 달려서 설악산 가는 길과 비슷한 곳을 지나갔습니다. 그곳에는 본계 동굴이라는 발견된 지 2여 년밖에 안 되었다는 자연 동굴이 있었습니다. 우리는 그곳에서 주는 비옷을 껴입고 깊숙이 동굴 속에 들어갔습니다. 작은 불의 전등들이 발길을 인도했습니다. 기기묘묘한 돌들의 예술품이 굴속에서 은은히 자태를 드러내고, 깊고 조용한, 폭이 넓은 강의 흐름 위에 우리를 태운 배는 왕복 1시간 정도를 미끄러져 내려갔습니다. 강바닥의 예쁜 돌들이 잡힐 듯 보이는 맑은 강물인가 하면 어느새 우유 빛이 되어 강물의 색깔도 변화무쌍했습니다.

상상할 수 없을 만큼 크며 빗물처럼 떨어지는 동굴 속의 비(?)를 맞으며 배를 타고 꼬불꼬불 강을 따라 내려가는데 천장에서부터 온 사방에 늘어선 웅장하고 섬세한 돌들의 조각품, 하나님의 솜씨에 입을 벌린 채 완전히 말을 잃고 말았습니다. 보이는 것 하나, 만져지는 것 하나하나가 저에게는 깊은 말을 해오고 있었습니다.

◇ 9월28일 주일. 우리가 도착한 다음날은 주일이었습니다. 1000여명의 조선족만이 사는 동네 가운데 십자가를 높이 드리운 아담한 교회가 있었습니다. 눈만 감으면 보이는 고향의 꽃, 코스모스, 봉선화, 분꽃, 따리아, 세르비아가 교회에 들어가는 입구에서부터 바람에 하늘거리다가 교회 앞마당에는 풍성히 피어 있었습니다. 주름살이 깊게 골을 파고 광대뼈가 유난히 튀어나

온 새까맣게 탄 얼굴의 아주머니들이 우리 일행들을 반갑게 마지 했습니다. 제가 어릴 때 보던 육이오 사변 후의 초췌한 아줌마들의 얼굴 모양이라 고향을 만나는 것 같이 속 깊은 곳에서 우러나는 향수와 같은 뜨거운 피가 흐름을 느꼈습니다. "심령이 가난한 자는 복이 있나니라" 하는 말씀을 절감하게 했습니다. 순박한 그들은 순수하게 온 마음을 다해 주님을 찬미하고 주님을 의지하는 삶인 것 같았습니다. 어려운 살림가운데도 그들은 있는 정성을 다해 떡에서부터 갖가지 음식으로 우리들을 대접했습니다.

◇ 이 교회에서 우리는 약 190여명의 환자를 진료했습니다. 연령층은 50세－90세 미만의 거의 할머니들 이였습니다. 남의 나라에서 너무나 열심히 산 결과일까? 모두가 다리와 허리통을 호소해 왔습니다. 심한 이북 액센트의 억양으로 말하는 그들에게서 남의 나라에서 사는 동질 감을 느껴 그들의 서러움이 곧 저의 서러움이 되였습니다.

이민자!

그들은 중국 교포, 나는 미국 교포 ,미국에도 한국에도 뿌리를 내리지 못한 체 부용초 처럼 붕 떠버린 서글픈 저의 교포란 위치를 새삼 실감나게 했습니다.

◇ 9월 29일은 에스시에서 에스현으로 기차를 타고 약 4시간

을 가서 진료하기로 되어 있었습니다. 물밀듯 밀려오는 인파는 전쟁시를 연상케하는 기차 타기 씨름이었습니다. 소매치기들이 버티어 서 있고 사람들이 몸을 비비며 엎치락뒤치락하니 그들은 우리들 뒤로 접근해 왔습니다. 우리는 서로에게 눈으로 신호를 보내며 각자의 짐을 움켜쥐었습니다. 뚜…뚜…울리는 출발신호는 기차를 타지 못한 우리들에게 조바심으로 더욱 긴장하게 만들었습니다. 겨우 마지막 순간에 우리 모두는 기차에 올라탔습니다. 담배, 사람 냄새가 진하게 코를 찌르는 기차 칸에서 저는 밀칠락 뒷치락하며 간신히 저의 좌석을 찾아 앉았습니다. 저는 저의 편안함을 찾아 거의 결사적이었습니다.

앉고 나서 편안하다고 생각하며 주위를 둘러보니 모두가 굴뚝에서 연기를 뿜는 것 같이 머리가 새파란 애송이부터 남녀노소 할 것 없이 합작 굴뚝이었습니다. 사람 코에서 풍기는 담배 연기는 숨을 막히게 했습니다. 우리가 담배 피는 시늉을 한 다음 얼굴 앞에 손을 흔들어대며 담배를 피지 말아 달라고 한 "바디 랭귀지" 는 잘도 통했습니다. 금방 담뱃불을당겼다 한 모금 빤 중년의 남자는 불쾌한 표정도 없이 얼굴 가득 멋쩍은 미소를 띄우며 거의 온 가치의 담배를 기차 바닥에 던져 발로 비벼 꺼 주었습니다. 바로 옆에 열 살을 갓 넘은 것 같은 서너 명의 또래 친구들끼리 앳된 얼굴에 어른 흉내를 내어 담배를 꼬나 문 아이들에게도 "바디 랭귀지" 는 잘 통했습니다. 불평 한마디 없이 담배를 꺼 주는 사람들을 보고 "순하고 어진 사람들이구나" 하는 생각에 가슴이 뭉클했습니다.

"만약에 이것이 우리나라의 기찻간이었다면 가능할까" 생각에 씁쓸한 미소가 입가에 맴돌았습니다.

"어디 금연 표시라도 써붙여 놓았어?" "누구더러 이래라, 저래라 해" 하고 눈을 사납게 부라리는 표정을 눈으로 보고 귀로 듣는 것 같았기 때문이었습니다.

◇ 편할 대로 주위를 정리하고 나니 또 제 다리가 문제였습니다. 제 앞에 우뚝 선 중간키의 남자, 구질구질한 곤색 윗도리에 카키색 바지를 입은 텁수룩한 이 남자는 우리 짐을 발 밑에 힘써 넣어 주며 길을 터 우리를 앉게 친절을 베풀어주었고, 후덕한 인상을 주는 비록 입에서 나오는 말은 통하지 않지만 사람한테서 흐르는 감정과 인정이 있는 사람이었습니다.

그 사람 때문에 구겨진 내 다리를 펼 수 없으니 슬슬 올라오는 불편함이 짜증으로 변하기 시작했습니다.

"이 사람이 왜 남의 자리에 턱 버티고 서 있지, 저 복도 통로 쪽으로 나가 주지 않고… 참 얌체 같네…."

도와주어 후덕한 인상의 사람이라고 마음속으로 칭찬할 때는 언제고, 물었던 담배를 꺼 주어 가슴이 뭉클할 때는 언제였던가 싶게, 자신의 편한 것만 바라는 저의 본능적인 욕구가 불평이 되어 목구멍까지 올라찼습니다. 그것도 하나님께 순종하는 마음으로 의료 선교를 가는 부름 받아(?) 가는 길인데도 말입니다. "네

이웃을 네 몸과 같이" 귀가 따갑도록 들은 말씀, 무수한 뇌세포 속에 저장되어 있는 이 말씀, 그러나 말씀의 실습장인 현실에 나오면 본능적인 욕구에 맥없이 끌려가서 까맣게 잊어버리는 하나님의 말씀, 예수 믿는 것은 교회당 속에서 만 하는 것이란 말인가….. 하고 우리 교인들 주위에서 일어 나는 일에 얼마나 눈살을 찌푸렸던가…, 마음속에서 일어나는 갈등이 자신을 바라보게 했습니다. 그때 떼 자국이 머리칼에서부터 온몸에 쭈르르 흐르는 너댓 살로 보이는 사내아이가 아버지 품안에서 불편하게 서 있는 것이 눈 안에 강하게 들어왔습니다. 일어나 사람 사이를 비집고 그 아이를 데리고 와 무릎에 앉혔습니다. 앉은 아이 보다도 너무도 고마워하는 그 아버지의 눈빛이 제 가슴 속에 깊이 박혔습니다.

◇ 어느새 기차 내 형광등이 번듯 켜졌습니다. 빈자리가 많이 생기며 옥자지껄하던 차내의 소음이 죽어 갔습니다. 바깥 풍경이 너무나 우리 나라의 시골 같아서 한참을 가나가 이 기차가 내 고향을 달리고 있는 것으로 착각을 하며 손에 쥐고 있던 책에 다시 눈길을 돌렸습니다.

"이데 곶 다 왔서니 둔비 히야 되요"

억센 이북 말에 후다닥 제 정신으로 돌아왔습니다.

캄캄한 역에 마중 나온 몇 젊은 남자들의 뒤를 조그마한 동그라미의 흔들리는 전지의 불빛을 따라 뿌옇게 흰 빛을 발하며 사각사각 소리를 내는 모랫길을 터벅터벅 걸어갔습니다.

잠에서 덜 깬 선잠의 기억 속에서 종횡무진으로 이끌; 리는 나의 생각, 남편과 너무나 멀리 떨어져 있다는 이 차가운 현실을 가슴속에 뭉클뭉클 받아들이며 저는 이 밤길을 제 손에 쥔 전지에서 비취어 흔들거리는 동그라미 불빛을 따라 같이 비틀대었습니다.

커다란 빨간 불빛의 십자가가 멀리서 보였습니다. 그 십자가는 제가 왜 이곳에 와 있는가를 깨우쳐 주었습니다. 단기 선교단, 어색하게만 들리는 선교단, 나와는 전연 상관이 없다고 고집 부리던 선교, 저의 모든 생각과 판단을 접어 두고 "순종" 그것 하나로 선교에 대한 아무런 열정도 없이 선교 단의 한사람으로 서 있는 제 자신을 발견할 수 있었습니다.

◇ 별빛 속에서 흰색의 겉모양이 웅장한(?) 교회가 우리 앞에 다가섰습니다. 이 교회 재직 여자 분들은 모든 정성으로 교회 3층에 우리들의 잠자리를 마련해 주어 선교사님의 사모님을 비롯하여 6명의 여자 분들은 한자리에 자게 되었습니다. 한밤중에 휭휭거리며 교회 건물을 치고가는 바람은 허술하게 지은 듯한 이 건물을 당장 넘어 떨릴 것만 같았습니다. 바로 교회 앞을 지나가는 것 같은 기차 기적 소리와 함께 달리는 진동은 이 교회 전체의 건물을 마구 흔들어 대었습니다. 여러 곳에서 보내 온 선교비에서 최근에 지은 교회라 했습니다. 20여 개의 처소 교회를 가

진 교회로써 평상시에는 7－8백 명의 교인이 있고 특별한 날에는 처소 교회 교인들도 다 같이 예배를 보아 약 1500여명의 교인이 모인다고 합니다.

◇ 새벽기도에 이어 아침에 유 목사님의 설교로 예배를 끝내고 환자진료에 들어갔습니다. 환자들은 거의 나이가 많은 층인데 50세만 되어도 완전히 노인네였습니다. 이들은 영양실조에 찌들었고 실내에서 침을 마구 뱉는 위생 관념이 없는 사람들이 많았습니다. 미국서 의료 팀이 왔다고 쉬쉬하는 소문이 온 동네에 퍼져 환자들은 계속 몰려들었습니다.(공식적으로 전도의 행위가 인정되지 않았기 때문에 비밀리에 교인 환자들만 진료 해주기로 되어 있었음). 약봉지 하나에 바람에 휘 날리는 휴지처럼 맥없이 이끌려 오는 병든 사람들, 고침을 받고 다 사라진 문둥병자처럼 사라질 이들, 예수의 이름을 약봉지로 대치해버릴 이들에게 참 진리인 예수를 어떻게 소리쳐 알리겠는가! 더욱 더 착잡한 마음으로 내 마음은 죄어들다 못해 비틀어지고 말았습니다.

◇ 북경의 하늘을 치솟는 건물과는 달리 이곳은 가난히 깊게 깔려 있었고 땅은 해변 가의 모래사장처럼 깊숙이 파 놓은 곳까지 전부가 모래였으며 비가 오질 않아 물이 몹시 귀한 곳이었습니다. 교회 옆 채소밭에서 뽑아 온 시들한 배추, 강냉이, 땅콩도 가뭄과 모래뿐인 토질로 영양실조가 된 것 같았습니다. 그들은

정성껏 중국 음식으로 우리를 대접했는데 상 가운데 커다란 접시에 통통 부은 인삼이 가득 담겨 있는 것 같았습니다. "왠 귀한 인삼을 이렇게 많이" 하고 집어들었더니 3개의 발가락에 발톱이 3개 달린 닭발이었습니다. 저의 식욕을 완전히 앗아간 닭발에 고개를 돌린 채 김교수님이 가지고 온 고추장만 축을 내었습니다.

◇ 떠나오는 날 아침은 무겁게 내려앉은 잿빛 하늘에서 귀한 비가 슬슬 뿌리기 시작했습니다. 우리를 데리러 온 트럭 뒤에 남자 분들은 우산을 받쳐들었고 여자 분들은 운전 좌석 옆에 차곡차곡 포개 앉았습니다. 꾸부정 굽은 시골길을 지나면서 노란 색의 깐 강냉이를 지붕 위에 널펀히 늘어놓았고 마당 가운에 수북히 산처럼 쌓아 놓기도 한 것이 퍽 인상적이었습니다.

◇ 에스시로 되돌아온 우리는 일행 중 1진 4명은 미국으로 돌아가고 2진 4명은 선교사님 댁으로 다시 돌아가서 오랜만에 시래기국과 김치로 배불리 먹고 연변으로 가기 위해 약을 정리한 다음 의사이신 선교사님과 사모님을 대동하고 연변으로 가는 비행기를 탔습니다.

어슴푸레한 어둠과 가랑비가 내리는 연변 비행장에서 비행기의 트랩을 내려오니 날씨가 쌀쌀하니 추웠습니다. 가방 속에 있는 재킷을 꺼내 걸치고 비행장을 걸어 나갔습니다.

이곳은 간판도 한글을 먼저 쓰고 그 아래에 한문이 쓰여져 있었습니다. 여기가 중국이라고는 전혀 생각되지 않고 우리나라에 온 것 같았습니다. 거기서 우리는 두 팀으로 나누어져 택시를 타고 중국과 이북의 국경선을 찾았습니다. 가는 길은 곱게 물든 단풍이 온 산을 덮었고 바로 산밑을 맴돌아 유유히 흐르는 강은 지나온 인간사의 역사를 말해 주는 것 같았습니다. 빨강과 노랑으로 조화를 이룬 단풍과 절묘한 산, 그리고 풍성한 강, 끝없는 들판과 맑은 하늘로 조화를 이룬 이 절경은 짙은 색깔로 그려진 너무나 아름다운 한 폭의 그림이었습니다. 이 풍경을 눈으로 깊게 빨아들여 가슴속에 영원히 간직하고 싶었습니다.

◇ 중국과 이북의 국경선!

길다란 다리에 파랑 색이 다리 중간 지점까지 칠해져 있고 이어서 빨간 색으로 칠해져 있었습니다. 파란색과 빨간 색의 그 지점이 국경선이라고 했습니다. 그 다리 밑에는 바싹 마른 두만강이 잡풀과 쓰레기로 쌓여서 천천히 흐르고 있었습니다. 망원경으로 내려다보이는 이북 땅에는 한국 특색 적인 우아한 산들이 산맥을 이루고 그곳엔 눈에 익은 논도 있고 한가히 누워 있는 소도 보였습니다. 경비 초소에서 왔다갔다하는 경비원도 눈에 띄었습니다.

◇ 그곳에서 우리 일행은 기차 시간에 맞추기 위해 기차역으로 급히 내달았습니다. 연변에서 조선 족이 세운 교회와 처소 교

회(교역자도 없이 20－30명의 사람들이 모여 예배드리는 곳)를 찾아가는 길이었습니다. 긴 시간의 기차 여행이었지만 기차가 혼잡하지 않고 기내가 깨끗했습니다. 서서 가는 사람도 없었습니다. 특이한 것은 먹고 난 엄청 많은 음식 찌꺼기를 함부로 버리고는 한 시간이 멀다 하고 청소부가 와서 먼지를 부산하게 일으키며 쓸어내기를 계속하는 것이었습니다.

쓰레기통이라는 것이 없었습니다.

에스현으로 갈 때와 지금 처소교회로 가는 기차 여행이 너무나 대조적이었습니다. 그래서 감사한 마음이 더했습니다. 편안한 마음은 절로 눈길을 차창 밖으로 끌어내었습니다.

반듯반듯 갈라놓아 한 칸 한 칸 층계처럼 내려앉은 논, 누렇게 익은 곡식 아니면 벌써 벼를 잘라 뭉터기로 군데군데 쌓아 놓아 둔 논, 논이라 하면 땀과 정성이 깃던 우리들 아버지 어머니의 손길이 있은 고향이었는데…, 거의가 단단한 벽돌집인 촌가들이지만. 노란 벼로 지붕을 입힌 초가집에서 은은히 퍼져 올라오는 연기는 부뚜막에서 불을 지피는 어머니 얼굴로 보였습니다. 어째서 가난을 천대시만 하는 것일까? 가난은 인간의 굴레를 벗기며 그 속에는 인간 본래의 순박함이 있고 평범한 즐거움과 이웃에 오 가는 순수한 인정이 있었으며, 소박한 바램은 인심을 거칠게 만들지 않았는데 말입니다.

◇ 촉촉이 젖은 신작로 가로 포플러 나무가 자꾸만 옛날의 아

름다운 추억으로 이끌고 갑니다. 뚜벅뚜벅 걸어가는 소, 하얗게 물려 다니는 오리 떼, 이리저리 구부러지며 숲 속으로 흘러가는 냇물, 광대하리만큼 큰 대륙 속에서 저는 자그마한 나의 나라, 나의 고향의 얼굴을 보며 고향의 내음새를 맡았습니다. 한참만에, 저는 놓쳐 버린 풍선처럼 마구 떠다니는 저의 생각을 바로 잡으려 풍선의 줄을 잡아 헤매었습니다.

◇ 4시간을 족히 달렸다고 생각될 때에 "내릴 준비들 하이소" 굵은 목소리에다 귀에 익은 경상도 사투리의 이선교사님의 지시가 떨어졌습니다. "이제 다 왔심니더."

우리는 장터같이 많은 사람들이 북적대는 역에 내렸습니다. 오토바이에 커다란 상자 같은 것을 붙여 놓은 근대화된 인력거(일명 빵닥차)가 저의 눈길을 끌었습니다. 선교사님께서 그 인력거에 우리를 타라고 했습니다. 조집사님과 저는 채같이 까불어대는 상자 속에서 어쩔 수 없이 본의 아니게 같이 흔들리는 자신들을 보며 오랫동안 잊고 있었던 웃음이 절로 터져 나왔습니다. 더욱이 우리 뒤를 따라오는 그 인력거 상자 속에는 우리에 갇힌 것 같이 꾸부정하게 앉은 유목사님과 김교수님을 보고는 배꼽을 쥐고 웃어젖혔습니다. 웃다가 보니 어느 틈에 비좁은 골목길에 빵닥차는 멎었습니다.

샛길을 비켜 막다른 골목길에 커다란 십자가가 작은 교회 건물 위에 무겁게 올려져 있었습니다. 17곳의 처소 교회를 총지휘하고 본부 역할을 하는 젊은 전도사님이 시무하는 교회였습니다. 자그마하고 아담한 교회를 들어서는 입구는 어느 가정집 대문을 들어서는 기분이었습니다. 새로 붙어 지은 교회 건물 곁에 작은 마당을 끼고 조그마한 가정집으로 보이는 곳에 우리는 짐을 풀고 환자를 진료하며 유숙했습니다. 이곳은 시작할 때에 예배당으로 쓰였던 곳이었다고 합니다. 딱딱한 온돌방에, 아궁이에서 불을 지펴 큰 가마솥에다 지은 밥과 누룽지, 정성껏 만든 한국 음식을 먹으니 완전히 한국 그것도 옛날 어느 시골에 온 것같이 착각이 들었습니다.

◇ 각 처소 교회에서 모인 교인들도 그곳에서 자고 먹고 계속 예배를 보며 모두들 진료를 받았습니다. 첫날은 79명의 환자를 보고 둘째 날은 101명의 환자를 보았습니다. 그들은 중국 사람과는 달리 깔끔한 옷차림과 말쑥한 매무새였습니다. 그분들을 대할 때 오래 떨어져 있던 일가친척을 만나는 기분이었습니다. 지독한 추위 탓인지 많은 분들이 뼈가 쑤시고 아프다는 호소를 해왔고, 자신도 모르고 있는 고혈압 환자가 이외로 많았습니다. 세상 어디로 가나 스트레스가 없는 곳은 없는지 "뉴로시스" 환자가 또한 많았습니다

"이거 어떡케 감사해야 할띠 모드 간디오."

무료 진료에 송구스러워 하며 감사한 마음을 말로도 몸 전체

로도 표현했습니다.

"예수님 사랑을 던할려고 이분들이 미국에서 여기까지 왔디오."

"그 먼 미국에서 운네(우리)들한테 까디 말이디오."

전도사님의 장모인 권사님은 몹시도 감격해 하며 예수님 사랑을 강조했습니다. 한 분 한 분을 돌보아 드릴 때 진한 동포애가 가슴속에서부터 우러났습니다. 저는 동포애 이상 그 아무것도 그들에게 전할 수가 없었습니다. 저는 하나님을 전할 수가 없었습니다. 제 가슴속에서 살아 계시는 주님 대신 그리스도인에 대한 기대밖엔 없었기 때문에 감히 입술에 발린 하나님의 지상명령을 말할 수 가 없었습니다.

◇ 목사님은 새벽 예배에서 시작해서 밤 늦게까지 계속 말씀을 전했습니다. 목마른 사슴이 물을 찾는 것같이 갈급한 심령들은 말씀 듣기에 아주 열심이었습니다. 환자 보는 시간을 제외하고는 우리들도 말씀을 들었습니다. 새로운 환경에서 듣는 말씀은 새로운 힘을 가지고 마음에 부딛혔습니다. 그 즈음, 중국 이곳에서는 예수 믿는 사람에게 더욱 심한 압박이 가해졌기 때문에 진료실의 창문마다 이불홑청으로 가리워 우리들의 진료를 숨어서 하게 했습니다. 이웃에 낯선 사람인 우리들은 바깥에 나가지 못하게 했습니다. 나가지 말라는 말을 들으니 더욱 바깥 세상이 보고 싶고 갇혀 있는 기분이라 숨이 막히는 것 같았습니다.

이러는 저를 보고 선교사님의 배려로 목사님은 말씀을 전하는 동안 김교수님과 조집사님, 그리고 저는 선교사님을 따라 가만히 밖으로 빠져나갔습니다. 옛날 우리나라였다는 발해 옛 성터도 가 보았습니다. 아직도 성터의 품위를 지니고 우아하게 뻗어 있는 솔 나무들만 외로이 여기저기 서 있고 땅속 깊게 묻혀 있는 성터의 초석만 있을 뿐 허허히 지나가는 바람은 인생의 무상함을 말해 주는 것 같았습니다.

◇ 중국 사람들에게 "당신은 백두산과 경박 호 중에 어느 것을 구경하겠소?" 하고 물으면 단연코 경박 호를 구경하겠다는 그곳으로 우리를 데리고 갔습니다. 우리가 유숙하는 곳에서 택시로 30분 거리에 있는 곳이었습니다.

경박 호!

모택동이가 명명했다는 이름 그대로 거울처럼 맑은 호수가 산꼭대기에 끝없이 펼쳐져 숨을 몰아쉬게 했습니다. 사람이 사는 이땅에 이렇게도 아름다운 곳이 있을까? 하고 눈을 감았다 다시 뜨고 보았습니다. 솟아난 산꼭대기에 단풍이 수를 놓아 호수 가를 이리저리 굽이쳐 마치 호수 속에서 뿜어올린 단풍의 동산 같았고 호수가 아니라 산 위에 있는 아름답고 잔잔한 맑은 바다였습니다. 구름 사이에서 길게 비쳐 나온 저녁 햇살이 호수를 찬란하게 물들이고 있었습니다.

우리는 그 맑은 물에 손을 담갔습니다. 그 맑고 시원함이 가슴속까지 닿는 것 같았습니다.

◇ 사모님과 조용히 같이 있는 시간에 마음에 있는 의문을 물어 보았습니다.

"전도하는 게 그렇게 좋으세요?"

기차 안에서나, 비행기 안에서나 온 얼굴에 빛을 발하며 영롱한 눈빛에 잔잔한 기쁨을 머금은 체 열심히 전도하는 선교사님 사모님(본인도 선교사님이심)의 모습을 떠올리며 저는 퉁명한 말투로 물었습니다.

"집을 나서기 전에 언제나 하나님께 기도를 드린답니다."

진지한 표정도 아니고 엄숙한 표정도 아닌 너무나 자연스런 몸에서 나오는 그대로 그녀는 계속 말했습니다.

"기도한 대로 주님을 구주로 받아 구원을 받는 사람을 제가 만날 수 있게 해 주셨습니다."

숨쉬는 호흡에조차 주님을 들이마시고 주님을 말하는 것처럼 그녀에게는 퍽이나 자연스러운 것이었습니다.

"글―쎄―요, 저는 별―루예요," "길에서 생면부지의 사람을 만나 주님은 우리를 위해서 십자가에서 죽으셨고 그 주님을 우리의 구주로 받아들이기만 하면 영생을 얻게 됩니다. 주님을 당신의 구주로 받아들이세요. 라고 말하면," 단숨에 이렇게 말한 저는 계속 말을 이어―

"마음이 허물허물한 사람은 쉽게 영원히 죽지 않고 영생을 얻어 천국에서 살고 그것도 입을 열어 말하고 시인만 하면 된다는데 그게 뭐 어렵겠습니까? 그렇게 쉽게 응해 버린 사람은 저 같이 항상 오락가락하며 신실한 그리스도인 되기가 힘들겠지요. 저는 가슴속에 울분처럼 갖고 있는 그리스도인에 대한 기대에 대해서 이야기하고 싶었습니다. 그저 얻는 영생이니 구원이니 하는 결과만 가지고 만족할 것이 아니고 '나는 진리요, 길이니' 하시고 나를 위해 죽으신 주님과 같이 걸어가는 이땅에서의 삶의 과정 즉 변화되어 가는 우리 그리스도인의 삶도 중요하다고 생각됩니다. 저를 위시해서 말입니다, 각자의 가슴에 계셔야 할 예수님이 그리스도인인 우리들의 목소리에만 계시는 예수님이 잖습니까? 이 그리스도인의 부조리(?) 이것이 해결되어져야 한다고 항상 생각해 왔습니다."

한참을 눈을 아래로 깔고 있다가 안타까운 심정이 되어 다시 말을 이었습니다. "너무나 쉽게 하나님의 구원은 하나님의 선물이니 그저 주는 선물을 받기만 하면 된다고 강조만 하다보면 주님이 원하시는 거듭나는 우리들이 언제 나올 수 있겠습니까?"

거친 마음가짐으로 말하는 저를 부정도, 긍정도 아닌 부드러운 미소를 얼굴 가득히 번지며 저를 바라다보았습니다. 예수 잘 믿는(?) 사람들이 즉각적으로 반응하는 청산유수의 설교나 설득이 아니고 가만히 바라보는 눈길은 제 자신을 돌이켜 보게 만들었습니다. 무언가가 비뚤게 생각하고 있는 자신을 보며 조용히 말했습니다.

“저는 원래 선교에 대해 관심이 없었습니다. 좀 전에 말씀드린 것 같이 목소리에 계시는 예수님을 전하는 것이 하나님의 지상명령이 아닐꺼라고 생각되어졌기 때문입니다. 먼저 개개인의 가슴속에 계신 하나님, 가슴속에서 살아 역동하시는 하나님을 전하라는 것이 하나님의 명령이라고 믿고있습니다. 그러니까, 나부터 먼저 신실한 그리스도인이 되어야 한다는 그 순서가 저에게는 참으로 중요했던 것입니다.”

한참을 망설이다 저는 덧붙여 조용히 말을 계속했습니다.

“어디서 무슨 일로 남에게 좋은 일을 하며 마지막 저의 생애를 값있게 보낼 수 있을까 하고 이곳에 탐방 온 이유도 한가지 더 있는 것이었어요.”

그때까지 진지하게 그리고 조용히 듣고 계시던 여 선교사님이 조심스레 말문을 열었습니다.

“글쎄요,” 어떠한 훌륭한 일이나 좋은 일도 우리가 하면 얼마나 할 수가 있겠어요?“ “주님이 어떠한 방법으로라도 다 하실 수 있지만 주님이 나에게 손을 내밀이 하나님 일에 동참하기를 원하실 때 주님께 순종하여 나서면 주님을 기쁘시게 하고 본인에게는 그 이상 축복된 일이 없다고 저는 생각합니다.”

그 조언을 깊이 생각해 보았습니다, 저야말로 순서가 뒤바뀐 생각을 하고 있었음을 깨달았습니다. 내가 무엇을 하겠다는 자기 중심적 생각에 몰두해 있어서 주님이 계실 자리가 없었던 것임을 깨달았습니다. 언제나 인정했던 내 속에 안 계신 주님! 이 사실이 홀연히 아픔이 되어 가슴속으로 찐하게 느껴져왔습니다. 그렇다, 그렇다! 내 가슴속에 안 계신 주님! 울분처럼 갖고 있는 그리스도인의 기대! 나를 향한 울분이요 ,그리스도인에 대한 통탄이 나를 향한 통탄이었습니다.

선교사님을 다시 바라보았습니다 선교사님 전도는 하나님의 명령이라 그저 순종하는 모습이 아니라 하나님의 기쁨이 곧 나의 기쁨이요, 하나님의 원함이 곧 나의 절실한 원함인 것처럼 적극적으로 기뻐하며 순종하는 선교사님 부부의 모습에서 살아 역사 하시는 하나님의 얼굴을 먼빛에서 보는 것 같았습니다.

태양 빛은 너무 강력하여 해를 똑바로 볼 수는 없지만 태양의 빛으로 반사되어 잔잔히 빛을 발하는 달을 우리는 눈을 들어 바라볼 수 있듯이 말입니다.

살아 역사하시는 하나님과 동행하는 삶이란 얼마나 축복된 삶인가! 하고 그들을 부러운 마음으로 가만히 올려다보았습니다.

지친 몸

무거운 몸

주님 손에 얹히옵니다

천 갈래의 생각 멈추고

주님 가슴에

내 머리 드리웁니다

아집과 독단으로 포획된 가슴

그대로 안고서

주님 품속에 파묻힙니다

주님!

내 모습 이대로

받아 주소서

주님의 사랑

이 가슴에

심어 주셔서

거듭 나게

도와주소서

테레사 수녀님

섬기는 삶이란 것을 생각하면 우선 제일 먼저 떠오르는 것은 푸른 테를 두른 흰 수건을 쓰고 깊게 주름진 얼굴, 그리고 회색과 푸른 눈빛이 도는 어린아이의 눈과 같이 반짝이는 눈을 가진, 바로 테레사 수녀님입니다.

'가져도 가져도 궁핍한 사람! 가진 것 하나 없어도 풍성한 사람! 이 세상에는 같은 하나님의 피조물로 태어나 어째서 이렇게 완전히 다른 두 계층의 사람이 있을 수 있을까?'

'가진 것 하나 없는 5 피트의 작은 여인, 무엇이 이 여인을 이토록 온 세계의 사람들의 심금을 울려 놓을 수 있는 사람으로 만들었을까?' 나는 그녀의 숭고한 얼굴을 보며 생각하게 됩니다. 그리고 이분의 배경을 살펴보고 싶어집니다.

"우리는 사회사업가가 아닙니다. 우리는 하나님의 사랑과 기쁨을 사람들에게 전해 주고 싶습니다. 우리는 사람들에게 하나님을 전하고 싶습니다. 동시에 우리가 이 사람들을 섬기고 돌봄으로써 주님께 대한 우리의 사랑을 주님께 보여주고 싶습니다."

"세상에는 불쌍한 사람을 도우는 기관이 많이 있습니다. 우리는 그런 기관 중의 하나가 되기를 원치 않습니다. 우리는 더 많이 주고 싶고 우리의 자신을 다 주고 싶습니다. 우리는 가난하고 병든 사람들에게 우리를 통해 주님의 사랑을 전하고 싶습니다. 우리를 통해 주님을 사랑하고 섬긴다는 것이 어떤 것인가를 알게 해주고 싶습니다. 비록 모든 것을 완전히 안다는 것은 죽은 후에 알게 될지라도 말입니다" 라고 테레사 수녀님이 말씀하셨습니다.

테레사 수녀님은 1910년 유고슬라비아 (지금은 마케도니아)에 있는 Skopie에서 태어나서 그곳에서 자랐습니다. 그녀의 부모님은 Albanians이며 아버지는 건축업을 하셨습니다. 행복한 가정에서 자라던 그녀는 9세에 아버지를 여위고 홀어머니 밑에서 3자녀의 막내로 자랐습니다. 테레사 수녀님의 아명(兒名)은 Agnes(에그너스)이고 온 가족이 매일 교회에 열심히 나가며 저녁마다 온 가족이 모여 기도하는 생활을 했습니다. 에그너스는 어릴 적부터 성경 읽기와 기도 그리고 하나님께 찬양 드리는 것을 기뻐하며 열심이었습니다. 가난하고 병든 사람들에게 언제나 열심히 보살피는 그 교회의 분위기에서 남을 돌보는 마음이 싹트기 시작했습니다. 그녀의 어머니 자신도 일하면서 3 자녀를 기르는 것이 힘들지만, 병든 이웃, 6 명의 아이를 가진 홀어머니를 정성껏 돌보았습니다. 어머니가 바쁠 때에는 막내인 에그너스가 병든 이웃을 어머니 대신 열심히 돌보곤 했습니다. 그분이 돌아가자 에그너스의 어머니는 그 6명의 아이들을 자기 집으로 데리고 와서 친 가족처럼 살았습니다.

에그너스는 18세에 하나님께 부름을 받고 수녀가 되기로 마음을 정했습니다. 수녀가 되고 난 뒤 Loreto,수녀원에 들어가기 위해 India로 갔습니다. 그곳에서 에그너스는 1931년 May, 24일에 16세기 스페인의 수녀 St Teresa of Avila,의 이름을 따서 테레사 수녀님이 되셨습니다.

1929년 19세의 나이의 테레사 수녀님은, 인도 히말라야 산맥의 발 밑에 있는 Darjeeling의 남쪽 Calcutta의 St.Mary' s 고등학교의 역사와 지리 선생님으로 부임하여 20여 년 간 가르쳤습니다. 열성적이고 온화한 선생님이신 테레사 수녀님을 모든 학생들은 진심으로 사랑하고 존경했습니다.

그 당시, Calcutta의 거리에는 거지들과 문둥병자와 버려진 애들이 길거리에서 죽어가거나 쓰레기통에 버려지곤 했습니다. 그 불우한 이웃을 눈감고 그냥 지나칠 수가 없었습니다. 그녀의 어머니의 편지가 불쌍한 사람을 위해 일하는 것을 다시 일깨워주었습니다. 테레사 수녀님은 학생들과 함께 정규적으로 병원과 빈민굴을 방문하였습니다. 그러던 중 테레사 수녀님은 두번째의 하나님의 부르심을 받았습니다. 그것은 가난한 중에도 가난한 사람을 도우라는 주님의 명령이었고 수녀님은 하나님을 믿는 자로

서의 의무를 분명하게 느꼈습니다.

"나는 무엇을 해야하는 것은 알지만 어떻게 해야하는지 구체적인 방법은 몰랐습니다." 이렇게 테레사 수녀님은 옛날을 회고했습니다.

테레사 수녀님은 학교선생의 자리를 포기하고 하나님의 부르심을 받아 Calcutta의 slums에서 일하기 시작했습니다. 그녀의 첫 과제는 길거리에 있는 불쌍한 아이를 돌보는 것이었습니다. 그들을 가리키고 읽는 것과 자기자신을 돌보는 것을 가르치는 것이었습니다.

테레사 수녀님은 가난한 사람들과 똑같이 생활하면서 완전히 헌신적이며 보답을 바라지 않고 오직 하나님만이 피난처이시고 힘과 물질적인 공급자로 믿었습니다.

1948년 테레사 수녀님이 길거리에서 쥐와 개미에 물어뜯기며 다 죽어 가는 한 여인을 보게 되었습니다. 그 여인을 병원에 데리고 가서 치료해주기를 부탁했으나 치료해주지 않았습니다. 그러나 수녀님은 그들이 치료해 줄 때까지 끈기 있게 기다렸습니다. 이것을 계기로 정부에 도움을 요청, 죽음의 집 Nirmal Hriday Home을 마련하게 되었습니다. 수녀님은 인간의 존엄성을 귀히 여기고 모든 사람이 평화 속에서 죽음을 맞이하기를 원했습니다. 40여 년 동안 54,000명이 넘는 사람을 Calcutta 길거리에서 이 죽음의 집으로 옮겨왔고 그들 중의 반은 친절하고 평화스러운 분위기 속에서 죽음을 맞이했습니다. 그래서 이것이 첫

기반이 되어 50여 년 후에는 12명의 수녀에서 3000여명이 넘는 수녀들이 봉사하게 되었고, 100여 국에 517개소의 missions이 만들어졌습니다.

침묵의 열매는 기도입니다.
기도하는 자의 열매는 믿음,
믿음의 열매는 사랑입니다.
사랑의 열매는 봉사,
봉사의 열매는 평화입니다.

테레사 수녀님이 웃으면서 내민 그녀의 명함에 쓰여 있는 이 글은 그녀의 살아가면서 체험한 살아 있는 신앙의 진수를 적은 것이라고 생각됩니다

"나는 주님의 얼굴을 각 사람에게서 봅니다. 내가 문둥병자의 상처를 씻길 때 주님의 아픈 손을 씻기고 있다고 생각합니다, 이 얼마나 고귀하고 아름다운 경험입니까?" 라고 수녀님은 말씀하셨습니다.

1979년 노벨상을 타면서 수녀님은 이렇게 말씀하셨습니다. "죽어 가는 사람, 불구자, 문둥병자, 정신병자나 버려진 아이는 주님의 변신입니다…. 죽음은 아름다운 것입니다. 죽음은 곧 주님의 집으로 가는 것이기 때문입니다."

또한 "나는 주님 손에 쥐어진 연필입니다." "주님이 나에게 무

엇을 하기를 원하실까? 언제나 주님의 뜻을 찾았고 그것을 실행에 옮겼습니다. 그래서 주님의 손에 쥐어진 연필과 같이 주님의 원하시는 대로 그분을 따랐습니다"라고 테레사 수녀님은 고백하셨습니다.

나는 위에 쓰여진 평범한 듯하면서도 감춰져 있는 신앙의 진리가 한 평범한 여인을 테레사 수녀님과 같은 성인의 경지에 들어가게 한 것이라고 생각합니다

테레사 수녀님은 1997년 9월 5일 저녁 9시 30분에 일평생 예수님을 사랑하는 마음으로 가난하고 아픈 사람들을 사랑하다 팔십칠 세의 나이로 하나님의 품에 안기셨습니다.

"불쌍한 사람을 사랑하라, 그것이 바로 주님을 사랑하는 것이다." 테레사 수녀님은 이것을 온몸으로 우리들에게 가르쳐주고 떠났습니다.

이세상 사람이 우리들 기독교인을 바라보며 기대하는 것은 테레사 수녀님 같은 사람입니다. 온 영혼을 다 하여 주님을 사랑하는 그 마음을 행동으로 옮기는 사람입니다. 그렇지 못한 우리들을 볼 때 세상사람들은 주님께로부터 그들의 얼굴을 돌립니다.

주님! 감사합니다

주님의 눈빛에 서린
사랑의 의미를
깨닫게 해 주셔서
감사합니다

하늘의 소망이
먼 곳이 아닌 내 가까이 있음을
알게 해 주셔서
감사합니다

죽음이 괴롭고 두려운 것만이 아닌
아름다운 소망인 것임을
깨닫게 해 주셔서
감사합니다

주님의 눈빛을 통해
내 눈빛으로도
모두가 사랑스럽게
보이게 해 주심을
감사합니다

말씀이 내 영으로
들어가게 하는
순한 귀를
주심을 감사합니다

자신에게만 향한
눈길이
이웃을 보게 해 주심을
감사합니다

잃는 것이 찾는 것이요
주는 것이 받는 것임을
알게 해 주심을
감사합니다

가시 돋힌 눈으로
바라보던 눈빛에
눈물이 어려
부드러운 눈길로
이웃을 바라보게 하심을
감사합니다

제4주제 | 가족

그래서 행복은 아름다움입니다

"모든 것을 합력하여 선을 이루시는 주님!

이 아이의 어려움이, 역경이, 부모의 부족했던 것이,

모두가 합력 하여 선한 길로 돌아서게 하는 밑거름이 되게 하소서. 아멘"

자녀들의 등교준비

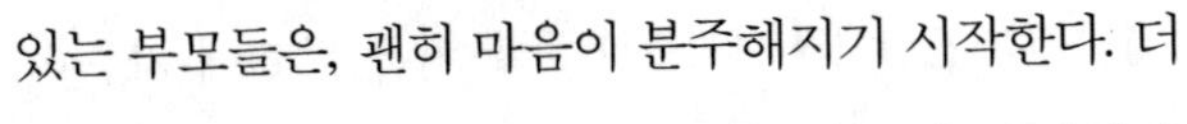

9월이 다가오면, 학교에 갈 나이가 된 아이들을 두고 있는 부모들은, 괜히 마음이 분주해지기 시작한다. 더욱이 첫 아이를 학교에 보내는 부모나, 갓 이민와서 첫 등교를 시키는 부모들은, 무엇을 어떻게 준비해야 할지, 걱정이 아닐 수 없다.

특별히 첫 아이를 학교에 보내면서 학부형이 되시는 분들에게, 도움을 드리기 위하여 현재 일리노이 한국학교 교장으로 우리 2세들의 교육에 심혈을 기울이고 계신 김유미 교장 선생님과 전화 인터뷰를 통하여 도움말씀을 구해 보았다.

김유미 교장 선생님은 "미국학교의 한국 아이들" 이라는 책을 지으신 분인데, 미국학교에서 한국 어린이들을 위한 이중언어교사(영어와 한국어를 동시에 사용하는)로 수고하시면서 보고 느끼신 많은 일들을 적어 놓으셨다. 나는 이 책을 읽으면서 가슴이 터지는 듯한 아픔을 느꼈고, 또 부모들의 무지 때문에, 고통과 서러움과 수치를 당하는, 많은 우리 2세들이 있다는 것을 알았다.

"어느 날 갑자기 부모를 따라 이민을 와서 말 한마디 알아들을 수 없고, 미국 아이들만 우글우글한 교실에 하루종일 앉아 있어야 하는 아이들, 그들의 당혹함, 외로움, 서러움은 어른들이 당하는 그만큼 또는 그 이상으로 곤혹스러운 것입니다." (미국학교의 한국아이들 — 머릿글에서)

우리의 아이들을 학교에 보내기 위하여 부모는 어떤 일을 준비해야 하며, 학교생활을 하는 동안, 부모는 무엇을 어떻게 해야 할까?

1. **건강 진단서와 예방주사 접종** 처음 학교에 가는 학생들은, 반드시 미국에서 발행한 의사들의 건강진단서를 준비해야 한다. 또 예방주사를 반드시 맞추어서 등교에 지장이 없도록 해야 한다. (이것은 한 지역에서 국민학교를 다니다가 다른 지역으로 전학을 갈 때에도, 꼭 준비해야 되는 일이다.)

2. **오픈 하우스와 학부형 모임에 꼭 참석하라** 학교에서 학부형들에게 학교를 소개하며, 학부형들과 의견을 나누는 시간을 가지기 위해서 오픈 하우스(Open house)나, 학부형회(P. T. A.), 또는 부모들과 개별적으로 면담하기를 원해서 부모를 학교로 부를 때가 있다. 이 때에 학부형들은 반드시 참석해야 한다. 내가 영어를 잘 모르니…, 미국학교의 실정을 모르니…, 너무 바빠서 시간을 낼 수 없으니…,등등의 이유로 아이들의 학교에 가지 않게 될 때가 많이 있다.

학교측에서는 이런 부모들을 무성의한 부모로 취급해 버린다.

주인이 애지중지하는 강아지도 남이 함부로 걷어차지 못하듯이, 내 자식에 대하여 내가 부모로써 관심과 성의를 보일 때, 그만큼 아이의 권익이 보장된다.

3. 똑같은 옷을 매일 입히지 말라 갓 이민 오신 분들 중에는 별로 대수롭지 않게 여기고 더럽지만 않으면 같은 옷을 며칠씩이라도 계속 입혀서 등교시키는 수가 간혹 있다. 우리 아이들이 학교에 가면 미국의 가정에서 자라나는 아이들과 나란히 있는 것을 생각해야 한다. 미국에서는 아이들에게 일찍부터 색깔을 맞추어 입히거나, 매일 다른 옷을 갈아 입혀서 학교에 보내는 것이 습관이 되어 있다. 부모의 부주의나 무성의로, 아이가 학교에 가서, 이런 시시한 일로 조롱을 받지 않도록 해야 한다.

4. 먹는 음식의 냄새에 유의하라 우리들이 즐겨 먹는 음식 중에는 특히 강력한 냄새를 오랫동안 나게 하는 음식들이 많다. 우리들이 사는 집에도, 매일 한국 음식을 먹는 우리는 민감하지 못하나, 김치, 된장, 생선 젓갈 등의 냄새가 배여 있다. 우리의 아이들이 아침에 등교할 때에 특히 우리가 즐겨먹는 음식의 냄새가 몸과 의복에 배여서 여러 아이들에게 이상한 눈총을 받지 않도록, 부모가 각별히 신경을 써야 할 것이다. 식후에 양치질을 잘 시키거나 냄새를 없애는 마우스 워시 등을 사용한 뒤에 학교에 보내면 좋겠다.

5. 갓 이민 온 아이에게 영어를 빨리 배우라고 독촉하지 말라 아이들에 따라 영어를 배우는 속도가 다 다르다. 어떤 애는 빨리 배우

는가 하면 어떤 애는 전혀 입을 열지 않다가 시일이 한참 지난 후에야 유창한 영어를 구사하기도 한다. 그래서 아이들에게 영어를 빨리 배우라고 독촉하지 않고, 기다리는 것이 가장 좋은 방법이다. 특별히 첫 한해 동안 아이에게 무리한 주문을 하지 말아야 한다. 차라리 아이들이 자연스럽게 영어를 습득할 수 있도록 시청각교육재료(그림책, 테이프, 비디오, 영화 등)를 제공해 주거나, 또는 친구를 사귈 수 있는 분위기를 만들어 주는 것이 좋다.

6. 도서관 카드를 만들어 주라 가까운 거리에 있는 도서관을 찾아가서 도서관 카드를 만들어 주고, 수시로 도서관에 데리고 가서 쉬운 책부터 빌려 독서에 흥미를 가지도록, 기회를 만들어 준다. 우리 부모들은 말로만 공부하라! 공부하라! 하지만 아이들은 무엇을 어떻게 해야한지 모를 때가 많다. 우리 부모들이 유달리 성적표에 관심이 많다. 성적표 종이 한 장이 아이의 전인간의 평가인 것으로 착각 할 때가 많다. 꼭 일 등을 하라! 올 에이(All "A")를 받아 오라! 를 강요하다 보면 갑작스런 환경의 변화로 그렇지 않아도 충격이 있는 아이들에게 더욱 심한 정신적인 고통을 겪게 할 수 있다. 모든 일에 너무 재촉하지 말고, 서서히 적응 할 수 있도록, 부모들의 이해와 관심이 절대로 필요하며, 친구와의 관계, 과외활동 등 원만한 사람이 되는 일을 도와야 한다.

7. 한국말을 잊지 않게 하라 한국말을 할 줄 아는 아이들에게는 특별히 우리말을 잊지 않도록 부모들이 배려하고 애써야 하겠다. 영어가 급하니 영어부터…라고 조급해 지기 쉬우나 영어가 한

1—2년 천천히 배워진다 하더라도 우리말을 계속해서 가르쳐 두면 영어밖에 말할 줄 모르는 아이들 보다 장래에 얼마나 많은 유익이 되는지 모른다.

60년대와 70년대에 부모를 따라 미국에 이민 온 1세 반 애들은 거의 한국말을 모르며(L. A., 뉴욕 등 큰 도시는 예외) 이 아이들이 지금 자라서 얼마나 후회를 하고 있는지 모른다. 많은 아이들이 대학에 들어가서 한국어를 다시 배우려고 하지만 어릴 때부터 계속해서 말을 사용해 온 아이들처럼 유창하게 한국말을 할 수는 없다. 교회의 한글학교나, 가정에서 개인적으로, 부모가 인내심을 갖고 자녀들에게 한국말을 가르쳐 주어서, 영어와 한국어가 둘 다 유창할 수 있도록 도와주어야 한다.

끝으로 이처럼 귀한 도움말을 주신 김유미 교장 선생님께 다시 한 번 감사를 드립니다. 지금 자녀들이 학교에 다니고 있거나 특별히 처음으로 자녀들을 미국학교에 입학시키시는 부모님들은 김유미 교장 선생님이 지으신 "미국학교의 한국아이들" 이라는 책을 꼭 한 번쯤은 읽으시도록 권하고 싶습니다.

아들을 떠나보내며

온 방안이 어수선하고, 이리저리 물건들이 어지러져 있다. 막내놈이 아무렇게나 던져놓은 옷가지하며 컴퓨터, 책들이 구석구석 흩어져 있다. 몇 주일만 지나면 이 물건들이 몽땅 막내아들과 함께 없어지리라 생각하며, 멍하니 쳐다보기만 한다. 이번에 고등학교를 졸업하고 대학으로 진학하는 아들이, 자기의 소지품들을 챙기는 중이었다.

나는, 이 작은 녀석의 이름만 불러보아도 온 가슴이 저리는 찡하는 아픔을 느낀다. 이놈이 곧 부모의 곁을 떠나는데…. 나는 어미의 노릇을 제대로 했던가? 채워지지 않는 부모의 사랑을 이 애는 온몸으로 요구해 왔었는데, 그것은 늘 반항이나, 분노나, 어거지나, 불순종의 모습으로 나타나곤 했다. 나는 지금, 조용히 아이의 물건들을 보면서 이 아이가 자라온 과정을 되새겨 본다. 우리 막내는 피츠버그에서 태어나서 피츠버그에서 자란 피츠버그 토박이다.

말을 배우기 시작해서부터는 "아이 엠 낫 베이비(I am not

baby), 아이엠 학상(학생이란 발음을 잘못해서)이라고 하면서 유달리 애기 취급받는 것을 싫어했었다. 영어 절반, 한국어 절반의 말로 "아이 엠 학상" 이라며 곧잘 자신의 주장을 내세웠다. "베이비야! 이리 와!" 하면 곧 이렇게 반응하기 때문에, 재미있어서 일부러 " 베이비야! 베이비야!" 하면 이 아이는 "아이 엠 학상!" 소리를 지르다가 울고는 했다.

이 아이는 자기 의사가 항상 분명했다. 자기형이 롤러 스케이트를 처음 사서 신어 보려고 하는데, 이웃의 큰 미국 아이가 와서 자기부터 신어보자고 반 강제로 빼앗으려고 하자, 큰놈은 마지못해서 주었는데, 이 녀석은 그 아이가 땅에 앉아서 스케이트를 신고 있는 것을 악착같이 싸우고 빼앗아서 자기형에게 도로 갖다 준 억척스러움이 있었다. 아들 둘을 데리고 길을 갈 때에 가끔 개구쟁이 미국 애들이 "챠이니즈! 챠이니즈! 납작코!" 라고 놀려대면, 큰놈은 못들은 척 지나가 버리는데, 이 막내 놈은 그 아이들을 죽을힘을 다해 쫓아가면서 함께 해댔다. 그때 겨우 5－6살 때의 일이었다. 나는 이 아이가 분함을 참지 못하여 쌕쌕거리는 것을 볼 때마다 "괜히 미국에 왔구나…," "낮은 코는 낮은 코끼리 모여 살아야 하는데, 괜히 코쟁이들의 나라에 와서 이애가 이런 곤욕을 치르는구나" 마음아파했던 일이 한두 번이 아니었다.

그런가 하면, 내가 어쩌다 얼굴만 조금 찌푸리고 머리에 손이라도 대면 "엄마! 머리 아파?" 이마에다 손을 갖다대고 "가만히 누워 있어 응!" 하면서 소파에 베개를 갖다두고는, 조그만 손에 물 컵과 약병을 갖다주는 인정이 많은 아이였다. 누가 가르쳐 주지 않았는데도 자기 방에 손님이 들어 있을 때에, 꼭 고사리 같은 손으로 방문을 노크 하고는 "애스 쿠스미(Excuse me)" 서투른 영어 발음으로 꼭 실례를 표시하고 자기 방에 들어가서 장난감을 내어오곤 했다. 이 애기가 벌써 자라서 덩치가 장정만 해졌다. 곱고 천진하던 마음엔 불평, 불만, 반항, 미움으로 가득 채워진 것 같다. 이런 것이 청소년기의 지나가는 한 과정이라고 넘겨버리기에는, 나에게 너무 많은 죄책감과 안쓰러움, 안타까움이 있다.

내가 지금 운영하고 있는 이 가게를 시작할 때, 이 아이의 나이 12살이었다. 아이가 볼 때는 갑자기 주변의 모든 환경이 변해 버렸다. 항상 아침이면 넥타이를 매어 주면서 교복을 단정하게 입혀주던 형. 때로는 옆에서 히히덕거리면서 장난을 쳐주던 형이, 대학에 입학하여 집을 떠났다. 아빠는 아빠대로 바쁘고, 나는 나대로 서투른 장사에 온 정신을 빼앗기다 보니 집안 일이나, 혼자 남은 애를 돌보아줄 마음의 여유가 없었다. 잔디가 3에이커나 되는 이웃이 듬성듬성 있어서 사람을 볼 수 없는 커다란 집에 덩그러니 팽개쳐진 이 아이의 마음이 어떠했을까…? 주위의 환경과 사물에 민감한 반응을 보이던 이애는, 정신없이 돌아가는 집안의 분위기에서 무엇을 느꼈을까? 무엇을 생각했을까…?

집에서 3분도 안되는 골목 언덕 위에 스쿨 버스가 서면 아름다운 잔디밭과 고목이 다 되어버린 무성한 가로수가 늘어서 있는 골목을 혼자 내려올 때에, 가끔은 자기가 좋아하는 조그만 개, 태리를 앞세우고 마중을 나가주기도 하고, 날씨가 좋은 날이면, 아이의 자전거를 언덕 위 고목 나무 뒤에다 감추어 두고, 아들을 기다리기도 했었다. 아이가 자전거를 타고 쏜살같이 언덕길을 내려가면, 우리 집 태리가 멍! 멍! 짖어대면서 꼬마주인을 열심히 쫓아 뒤따라 내려가곤 했었다.

그러던 엄마도, 아빠도, 형도 다들 자기 일에 매여서 이 작은놈은, 어느 날 갑자기, 혼자가 되어버렸다. 나는 조금만 더 있다가, 조금만 더… 하면서 하루 이틀 미루다가 이 아이에게 밥 한끼 따뜻하게 해 주지 못했다. 오늘 이 순간은 평생을 통하여 다시는 되돌아올 수 없는 시간인 것을…. 더욱이 아들과의 순간순간의 귀한 시간을 놓쳐버린 것을 아들을 떠나 보내며 이제야 통절이 느

작은 아들이 영국으로 떠날 때 온가족이 함께 모이다. 사진 왼쪽부터 시계방향으로 남편, 작은 아들, 큰아들, 필자.

끼고 있는 것이다. 나는 버스 지나고, 손을 드는 얼간이가 아니고 뭔가…!

어려우면 어려운 대로, 기쁘면 기쁜 대로. 대화를 통해서 시간을 나누며 서로 격려하고 서로 기뻐하며 하루하루를 충실히 살았어야 됐을 것을…. 엄마가 바쁘니깐, 엄마가 힘드니깐…, 너는 가만히 있어 하는 식으로 사랑을 구하는 아이를 밀쳐버리지 않았었던가? 주님 앞에 조용히 무릎을 꿇었다. 주님! 주님을 불렀으나 말문이 막히고 지나간 이 아이의 18년 간의 모습이 영화의 한 장면, 장면처럼 머릿속을 맴돌아 지나간다.

"애비들아! 너희 자녀를 노엽게 하지 말고 오직 주의 교양과 훈계로 양육하라"(엡6;4)

"주님이 주신 말씀을, 실행하지 못했습니다."

"주님! 이제 제가 할 수 있는 일은 이미 지나갔습니다. 잘했든 잘못했든 이미 지나간 일이 되어버리고 말았습니다. 늦게나마 이 아들을 주님의 손에 맡기오니 주님 인도하여 주옵소서."

"모든 것을 합력하여 선을 이루시는 주님! 이 아이의 어려움이, 역경이, 부모의 부족했던 것이, 모두가 합력 하여 선한 길로 돌아서게 하는 밑거름이 되게 하소서. 아멘."

모든 짐을 주님께 맡기니 무거웠던 마음에 호수 같은 평화가 가만히 스며든다.

미국에서 부모님과 함께

수없이 많은 별들이 맑은 하늘에 총총히 박혀 있다. "어머니—" 길게 불러본다. 소리는 허공을 치고 그 반짝이는 별들이 어느새 길다란 줄을 그으며 눈앞에 다가선다. 고달플 때 외로울 때, 서러울 때 "어—머—니—" 길게 부르면 수천의 가슴의 말이 묻어 공중으로 흩어져 나간다.

"이~세상에 고생하~신 어머님은 후생에 가시~어서 편하게 계시~는~지 생~각~하~면 눈~물이 흐—르—도록— 보고 싶~어~요…"

우리가 아주 어렸을 때 어머니가 당신의 어머니(외할머니)를 그리면서 지은 노래다. 국민학교도 제대로 나오시지 않은 어머니였지만 얼마나 어머니가 그리웠으면, 이렇게 노래를 지어서 혼자서 부르셨고, 우리에게도 가르쳐주셨을까…? 외삼촌이 아코디온을 키고, 나는 그 가사의 뜻도 제대로 모르는 채 신나게 불러젖히곤 했다. 그러나 나는, 이제 어머니가 당신의 어머니를 가슴 찢어지도록 그리워하며 불렀던 그 노래를, 어머니의 심경 그대로, 나의 어머니를 그리며 수없이 많이 불러본다.

우리 부모님은 15여 년 전에 미국에 오셔서 한 5년간 우리들과 함께 사셨다. 아버님은 이곳에 적응하려고 하시고, 영어도 배우시려고 이웃 미국사람들의 말을 귀담아 들으셨다. 그분들과 함께 공원도 같이 산책하셨다. 뒤뜰에 잔디를 파헤쳐서, 조그마한 터를 만드셔서 농사를 지으셨다. 고추, 오이, 배추, 총각무 등 우리 입맛에 맞는 야채를 온 정성을 다하여 열심히 가꾸셨고, 밥상위에 기른 채소가 오르고, 우리가 맛있게 먹는 것을 보시며 몹시 흐뭇해하시기도 했다.

또 이웃 노인 분들이 와서, 풍성하게 자란 갖가지 채소를 보고 놀라워하고 칭찬할 때는, 아버지의 얼굴은 환히 피셨다.

어느 날,

"애야! 우리도 이제 밭을 갈고 씨를 뿌려야겠다. 이웃 영감이, 비가 올 계절이 다가오니 지금쯤 씨를 뿌려야 한다더라."

"아버지! 영어를 어떻게 그렇게 잘 알아들으셨어요?"

"아니 하늘을 손가락으로 가리키니 구름이 끼어 있어서 비가 올 것이라 했겠고, 땅을 헤집는 시늉을 했으니 밭을 갈아라 안 했겠니?"

그래서 우린 모두 입을 함박같이 벌리고 웃었다.

언젠가는,

"얘야, 내가 공원에 서 있으니 지나가는 사람마다 '키스미, 키스미' 하고 지나가는데 그게 무슨 뜻이니?" (아버님은 키스미의 뜻은 아셨기 때문에 몹시 의아해 하신 모양이다.)

그러자 큰놈이 냉큼 "예? 할아버지! 미국 사람이 할아버지께 "키스미"라고 해요?" 하고 배를 쥐고 웃는다. 가만히 생각해보니 공원 좁은 길에 서 계시니 "Excuse Me (익스큐스미)의 큐스미가 키스미로 들리셨나보다. 그래서 온 식구는 배를 쥐고 한바탕 웃고 아버님도 얼떨결에 같이 따라 웃으셨다.

훤칠한 키에 이목구비가 뚜렷하신 아버님은 나와 같이 길을 걸어가시면, 나를 젖혀놓고 항상 아버님 앞에 차를 멈추고는 길을 묻곤 했다. 그러면 노란 머리 미국 사람을 똑바로 보시면서, "아이 엠 쏘리, 아이 돈트 노오" 라고 정중하게 대답하시곤 했다

어느 날, 미국 친구가 급한 일로 우리 집에 와서 어머니에게 "인숙! 인숙!" 이라고 부르며 나를 찾았는데, 우리 어머니는 그 친구의 얼굴만 말똥말똥 쳐다보시면서 "아이 돈트 노오 잉글리시" 하시더라고 웃음을 참지 못했다.

중간키에 곱게 생기신 어머니는, 영어나 자기가 계시는 미국에 전혀 관심이 없으셨다. 한국에 있는 외아들(군에 있었음)이 너무도 보고 싶고 어머니의 머리에 꽉 차 있어서 다른 어떤 것도 들어갈 수 없으셨던 것 같다. 아들이 보고 싶으시면 우리들에게 눈물을 보이시지 않으려고 혼자서 공원에 자주 나가셨다. 툭—

트인 언덕에 서서 내 아들 윤아—! 하고 얼마나 목메어 부르셨을까? 줄지어 딸 다섯 그리고 10년 후에 외아들을 보셨으니 오죽하실까? 웅장한 나이아가라 폭포도, 미국 대통령의 집 백악관도, 또 보스톤의 항구나, 하바드 대학도, 조그마한 아들의 얼굴에 가려져, 아무것도 눈에 들어오지 않으신 것 같았다.

한국에 있는 둘째 언니가 열심히 편지를 보내왔는데 "우린 모두 잘 있어요" 라는 짤막한 인사 말 외엔 처음부터 끝까지 "아버지 어머니 예수 믿으세요" 라는 전도의 말로 꽈 메웠다. 아버지, 어머니는 편지를 보실 때마다 몹시 실망하셨다. 보고 싶은 아들 소식은 없고 알지도 못하는 예수 말만 적혀 있으니….

"얘는 예수 말뿐이고 윤이는 어찌 지내고, 그쪽 애들은 어찌 지내는지…?"

한숨 어린 목소리로 말끝을 흐리셨다. 보다못해 내가,

"언니 예수말 그만 적어보내고 자세한 그쪽 소식 좀 전해 주세요" 라고 연락을 했는데도 막무가내다.

이제는 테이프까지 계속 보내온다. 어머니는 별로 달갑지 않지만, 딸의 성의가 고마워서, 조금씩 듣기 시작하셨다. 한국이 그리우실 때마다, 테이프를 꺼내 들으셨다.

"나는 이 말들이 무슨 말인지 도무지 이해가 안된다."

그러시면서도 아들이 보고 싶고, 딸들이 보고 싶으시면 또 트신다.

어머니는, 내가 직장에 가고 나면, 한 살짜리 손자를 보시면서 집을 돌보셨다. 나는 밥을 늦게 먹는 버릇이 있다. 먼저 잡수신 어머니가 설거지를 시작하신다.

"어머니 제가 할께요 그만 두세요."

"아니다, 사람이 늙으면 소화가 잘 안되어 일어서서 다녀야 하니, 내가 서 있는 동안 설거지를 하마. 천천히 먹어라."

일하고 온 딸이 힘들까봐 하신 말씀을, 나는 바보같이 그대로 곧이 듣고, 나이 많으신 어머니를 설거지를 하시도록 했었다.

오 년 후에 내가 직장을 그만 두니 "이제는 우리는 가야겠다"고 하셔서 우리 온 식구가 다같이 부모님을 한국에 모셔다 드리고 왔다. 부모님이 한국에 가신 후, 나의 외로움과 그리움은 말할 수 없이 컸다.

어느 날, 낮잠을 자는데 어머니가 이층으로 올라오시며 내 방문을 여신다. 층계를 올라오시는 발자국 소리를 분명히 들었다.

"아이고 어머니! 나는 어머니가 멀리 가셨다고 막 울었는데… 어머니가 여기 계신 줄도 모르고…" 하고서 기뻐서 고함을 치다가 내 소리에 놀라 깨어 일어나 보니, 애들도 없는 텅 빈 집이다. 함께 계실 때 효도하지 못한 죄책이 나를 몰아치고 그리움과 보고 싶음을 걷잡을 수 없었다.

어버이 살아실 제／섬기기 다 하여라／지나간 후이면／애닯다 어

이하리／평생에 고쳐 못 할 일／이뿐인가 하노라

라는 옛 시를 크게 적어 언니들에게 보냈다. 한국에 가신 어머니는 하늘을 쳐다보시며 "숙아—새내야— 바비야!—" 하고 또 우신단다.

어머니는 어째 슬픈 것과 아픈 것만 골라서 괴로워 하 실까…. 나는 언젠가, 어머니께 이런 이야기를 해드렸었다.

"어머니! 옛날 옛날에 한 어머니가 두 아들을 두었더래요. 큰 아들은 우산 장수요, 막내는 짚신 장수인데, 해가 쨍쨍 내리쬐면 우산 파는 큰아들이 걱정되어 울고, 비가 줄줄 내리는 날이면 짚신 파는 막내아들이 걱정되어 울었답니다. 그래서 그 아들들이 하도 딱해서'어머니! 어머니! 요렇게 마음을 돌려보세요! 비가 오면 우산이 잘 팔려서 좋고, 날이 맑으면 짚신이 잘 팔려서 좋고, 그러면 내내 기쁜 일 밖에 없지요' 했대요. 아들 말대로 생각을 바꾼 그 어머니는 항상 기뻤답니다."

나의 이야기를 다 듣고 나신 후에 어머니는 빙그레 웃으시며 "그래 그 말도 일리가 있구나" 하고 인정은 하셨다.

그런데도 어머니는 한국에 가셔서는 미국 쪽을 생각하시며 또 우신다. 자식을 생각하며, 어려움에 처해 있는 자식을 향하는 마음은 막을 길 없는, 가슴에서 우러나는 모성애의 본능이라는 것을, 나는 우리 어머니를 보고 느꼈다.

한국에 가신 후, 언니는 어머니와 함께 교회도 나가시고, 열심히 구역예배나 가정예배에도 어머니를 모셨다. 부족한 딸이 가르치는 성경말씀에도 어린애 같은 마음으로 흡족히 잘 받으셨다고 한다.

"얘야! 내가 일찍이 예수를 믿었더라면 얼마나 좋았겠니, 그리고 너희 아버지가 예수를 믿으면 좋으련만…," "아무래도 내가 먼저 가야 너희 아버지가 예수를 믿으실 것 같아." 어느 날은 한숨 어린 목소리로 그렇게 말씀하시기도 하셨단다.

아버님은 종교를 바꾸면 조상에게 불효라고, 교회에 나가시는 일을 상상도 못하셨다. 막내이신 아버님은 남달리 할아버지, 할머니께 효성이 지극하셔서 연세 많으신 할머니는 업고 다니시기도 하셨단다.

남동생 네가 언니 집에서 먼 곳으로 이사를 가서, 어머니는 언니와 같이 교회에 나가시지 못하고, 이웃교회에 혼자 다니셨다. 어머니는 기관지가 약해 호흡이 불편하셨고, 몸이 부해져서 걸음 걷기도 힘들어 하셨다. 그렇지만 주일을 빼놓지 않고 이웃교회에 나가셨는데, 하필이면 그 교회가 3층 꼭대기에 자리잡고 있었으니 얼마나 힘드셨을까? 몇 계단을 올라가다 쉬곤 쉬곤 하셨다고 한다.

갑자기 어머니가 별세하셨다는 소식을 듣고, 한국에 달려갔다. 우리 형제 모두가 어머니가 다니시던 교회의 장례식에 참석했다. 3층 꼭대기를 젊은 사람이 올라가기도 힘든 것을, 어머니께서 쉬며 쉬며 올라가셨던 일을 생각하면, 가슴이 미어졌다. 교회 앞까지 아버지가 어머니를 모시고 가면, 그 교회 처녀 집사님이 항상 어머니를 기다렸다 모시고 천천히 올라갔다 한다.

낳아 키워 주시고, 아껴주신 딸들이 못한 일을, 낯모르는 그 자매님이 예수 님의 사랑으로 끝까지 모신 것을 생각할 때, 그 고마움을 잊을 수가 없다. 그 어느 곳에 있을지 모르는 그 자매님께, 형제 이상의 사랑과 정을 느끼게 된다.

아무 능력이 없고, 몸이 불편한 한 노인네가 있는 힘을 다해, 그 교회에 참석한 것을 예수님과 그 자매님만 알았으리라 하는 느낌을 장례식 분위기에서 받았을 때, 어머니는 그 교회에서 얼마나 외롭고 소외되었을까…? 뺨을 적시며 흐르는 눈물을 막을 수가 없었다. 목사님과 교회 직분자는 교회의 성장이나 젊은 일꾼에게 관심이 많았으리라. 연세 많고 노약한 어른들의 구원에는 정말 얼마만한 정력과 사랑을 베풀었을까? 우리에게는 너무나 귀하고 소중한 어머니였지만 그들에겐 능력 없는 한 노인네에 불과하지나 않았을까?

어머니를 먼저 보내고 혼자 남으신 아버님은 어떻게 지내실까? 50년 이상을 두 분이 서로 한 분인 것같이 살아오셨는데, 슬퍼하시는 아버님, 그 뼈저린 아픔을 어느 자식이 대신할 수 있을까?

너무나 너무나 감사하게도, 어머님의 담임 목사님께서 아들, 며느리가 직장에 가고 아버님께서 혼자 쓸쓸히 계실 때 자주 심방하여 주셨다고 한다. 장례식 분위기로 잘못 생각한 것을 부끄럽게 여기며 주님의 사랑만이 아픈 이를 위로해 주시는 참사랑이라는 것을 하나님의 가족에게서 느낀다.

우리집 개

우리집 개의 이름은 태리입니다. 이 태리라는 이름은 2대째 내려오는 이름이지만요.

첫번째 태리는(mixed terrier, 태리얼의 잡종) 노루를 연상케하는, 가늘고 긴 다리 하며 옅은 갈색에다 꼬리가 짧고 두상도 작았지요. 얼굴은 자세히 들여다 보면 할머니 얼굴처럼 주름이 쪼글쪼글해서 보는 사람마다 "이 개가 꽤 늙었군요" 하지만 아직도 한 살도 채 안된 강아지였어요. 아파트에서 집을 사서 이사가면서, 애들한테 한 약속을 지키느라 이 개가 우리집에 들어오게 되었답니다.

동물 보호소에서 철조망에다 다리를 올려놓고 데려가 달라는 듯이 안타깝게 짖어대는 이 개는 주인을 잃어버린 길에서 잡혀온 개였어요.

"엄마 이 개를 집에 데려가!" 큰 애가 말하자 "불쌍하게 보여웅" 작은 애도 옆에서 쪼르기 시작했습니다.

네 살짜리 작은놈은, 어느새 철조망 사이에 손가락을 넣고 발톱을 만지기 시작했어요. 그래도 아이에게 발을 맡기고 있는 순한 강아지가, 몹시 귀여웠습니다.

내가 귀가 멍멍하도록 짖어대는 철조망 안에 있는 개들을 다 둘러보고 올 동안, 우리 애 둘은 그 조그마한 개 앞에 쪼구리고 앉아 있었어요. 난 잠시 고개를 갸우뚱하고 생각했어요.

첫째 개가 작아 집안에서 키우기가 좋겠고, 둘째 털이 짧아 좋고, 셋째 순한 강아지라 애들과 잘 놀 것 같고, 넷째 색깔이 우리 집 카페트 색갈과 같아서 털이 집안에 떨어져도 눈에 잘 띄지않아 좋을 것 같았어요.

돈을 치르고 잘 키우겠다고 약속한 다음, 개를 데리고 나왔어요. 밖으로 나온 이 개는, 애들 앞에 펄쩍펄쩍 뛰어오르고 꼬리가 빠질 정도로 흔들며 좋아 날뛰고 있었어요.

"이 개 이름을 뭐어라고 하지?"

차에 올라 타면서 애들에게 물었더랬어요.

"바비!바비라고 해 엄마!" 8살 된 큰 놈이 동생의 이름을 붙이자고 고함을 쳤어요.

"아니 아니 샨, 샨이라고 해 응! 엄마―"

막내 놈은 옆에서 형의 이름을 붙이자고 내 옷자락을 잡아당기며 졸랐지요.

"녀석들 그렇게 좋다고 난리를 치면서도 지들 이름은 붙이기 싫은가봐 …" 쿡쿡 나오는 웃음을 억지로 참고 말했습니다.

"이 개가 태리얼 종자니 태리라고 하자."

해서 우리집 개는 태리라고 불리우게 되었어요.

이날부터 우리집에는 식구 하나가 더불어 났지요. 아빠랑 우리 온 식구는 잃어버렸던 우리 개를 되찾은 양 좋아 날뛰지만 아무도 밥을 주고 운동시키고 대소변 훈련을 시키는 사람은 없었어요. 아직 훈련이 되어 있지 않았던 이 개는 아무데서나 실례를 하지 뭡니까?

내가 아주 어릴 때 우리집에 있었던 우리집 셰퍼드 종자인 "종" 은 까마득한 기억속에 있을 뿐, 제자신이 개를 키워보지 않았습니다.

도서실에 가서 개 훈련 시키는 책을 빌려와, 하나하나 익혀 가며, 실제 연습을 했습니다. 시간 맞춰 밖으로 내보내되, 항상 같은 문을 열어 주어 "토이랫 투래닝" 을 시키고, 집안에서 실례를 했을 때는, 신문지를 돌돌 말아 실례된 곳을 가리키며 "노오! 노오!" 를 되풀이 하며, 개의 엉덩이를 때리라 했습니다.

돌돌말린 신문지는 때려도 아프지 않고, 소리가 크게 나기 때문에 강아지가 많이 놀란다고 했습니다. 그러나 개의 귀는 아주 섬세하기 때문에 때려서는 안된다고도 쓰여 있었습니다.

이렇게 기본적인 것을 되풀이 훈련을 시키다보니, 몇 달안에 태리는 실수를 하지 않게 되었습니다. 대소변이 보고 싶으면, 항상 나가는 문 앞에서 펄쩍펄쩍

뛰며 문을 빨리 열어달라고 낑낑거렸습니다. 그게 얼마나 신통한지요!

대소변이 보고 싶은데, 늦잠꾸러기 엄마,아빠가 자고 있으면 침대로 와서 이빨로 이불을 잡아당겨 벗겨놓기도 했어요.

애들이 학교에 갔다가 집안에 들어 와서 신발을 벗으면, 양말을 벗기는 서비스는 태리가 도맡아 했습니다. 그래서 애들 양말은 모두가 구멍이 빵빵 뚫려 있지요.

애들이 신나서 웃어 젖히면, 태리도 덩달아 신이 나서 벗겨 놓은 양말을 이빨 사이에 물고 흔들어 댔습니다.

작은 아들이 자전거 타는 연습을 할 때에, 페달가에 아슬아슬하게 달라붙어 작은 주인의 바지가랭이를 물고 늘어지는 장난을 치기도 했습니다.

뜰이 3에이커나 되는 새 집에 이사와서는 노루 가족들이 집 뒤뜰에 있는 개울에 물을 마시러, 또 어떤 때는 정원에 심어놓은 나무에 달린 복숭아나 사과를 먹으러 왔더랬어요. 새끼 노루만한 태리 녀석이, 송아지만한 노루 부부와 많은 노루 새끼가 있는 노루 가족을 쫓아내는 꼴은 정말 가관이었어요. 쫓아내고 집으로 돌아오는 태리는 개선장군처럼 기세가 당당했었지요.

그래서 우리는, 노루새끼 크기 이상 자라지 않았던 태리와 15년 간 행복하게 살았습니다.

Children Learn What They Live

이제, 우리집은 텅 빈 집이다.

새 새끼들이 자라서 휭 날아가 버린 빈 새둥우리처럼, 우리들의 두 아들도 어느새 다 자라 각기 제 갈 길로 가 버렸다. 빈 둥지 같은 집 속에 영감 할매만 남아 있다. 애들이 걱정되고, 보고 싶을 때마다, 벽에 걸어 둔 족자의 시, Children Learn What They Live의 시를 읽는다.

If a child lives with criticism,

He learns to condemn.

If a child lives with hostility,

He learns to fight.

If a child lives with ridicule,

He learns to be shy.

If a child lives with shame,

He learns to feel guilty.

If a child lives with tolerance,
He learns to be patient.
If a child lives with encouragement,
He learns confidence.
If a child lives with praise,
He learns to appreciate.
If a child lives with fairness,
He learns justice.
If a child lives with security,
He learns to have faith.
If a child lives with approval,
He learns to like himself.
If a child lives with acceptance
and friendship,
He learns to find love in the world.

Dorothy Law Nolte

무엇이든지 잘하기를 바라는 엄마의 욕심이 지나쳐 너무 비판만 하면서 키우지나 않았나? 선과 악을 철저히 가르쳐야 한다는 부모의 의무감이 도를 넘어 도리어 적개심을 갖게 하지나 않았나? 격려와 인내, 칭찬과 공정함 그리고 안정감을 주면서 차분히 마음의 여유를 갖고 애들과 같이 살았어야 했을걸…, 그 중요한 시기, 눈 깜짝하면 가버릴 그 귀한 짧은 시간을 무엇에 쫓기듯 왜 동분서주하면서 애들을 키웠을까?

18년이라는 세월은 긴 세월 같지만 너무도 짧은 시간인데…, 눈앞에 보이는 것에만 매혹되어 피아노 레슨, 바이올린 레슨, 축구, 펜싱, 수영, 태권도 등, 남이 하는 레슨은 모조리 흉내 내면서 숨 쉴틈없이 애들을 레슨에서 레슨으로만 끌고 다녔다. 이 중 하나라도 빼면 애들의 장래에 큰 지장이라도 생길 것 같았다. 애들이 부모의 품안에 있을 때 내적인 감성과 정신적인 성장 등, 정작 가르쳐야 할 것을 가르치지 못했다. 사람이 한 인생을 살아가는데 필요한 내적인 풍요로움과 성장보다 겉치레에 온 관심과 정성을 쏟았으니 얼마나 한심한 노릇이었나! 이런 부모가, 자라나는 아이들에게 주는 인생을 바라보는 눈은 도대체 어디에 초점을 두게 했을까?

부모의 삶 그 자체가 가르침이고 참다운 삶을 배울 수 있는 산 레슨인 것을…, 부모가 애들에게 전달해야 할 소중한 정신적 유대는 간 곳 없이, 밖에서 끌어들이는 그 어떤 학식이나 기술. 재능만이 전인 교육의 전부인 것처럼 생각했다. 그저 너는 잘해야 한다. 너는 이겨야 한다. 너는 All "A"를 해야 한다, 너는 성공한 인물이 되어야 한다. 그래서 나라는 엄마는 아이를 "나는, 나는" 하고 나만 아는 인간으로 메마른 경쟁심만 키워 세상에 내보낸 결과밖에 되지 않았으니…, 진정한 의미의 성공이란 무엇일까? 뒤늦게 생각해본다. 삶 그 자체를 사랑하며 남과 더불어 살아가는, 평범 속에 무한한 삶의 가치를 발견하며 사는 것이 아닐까….

죽은 후에는 오직 껄, 껄, 껄, 소리만이 우레같이 들린다더니 나는 죽기도 전에 이래야 되었을걸, 저래야 되었을걸, 껄껄 소리로 내 가슴을 치고 있다. 애들이 아직 품속에 있는 부모는 가능성과 희망이 있다. 빈 둥지 속에서 껄, 껄, 껄 소리로 울고 있는 늙은 새가 되지 않기를 바라면서 이 시를 소개하고 싶다. 이 시를 가슴으로 새겨가며 읽어 밝고 맑은 애들로 키우시기 바란다. 먼 훗날 하나님께서 우리들에게 맡겨준 애들을 잘 키웠다고 칭찬 받는 부모가 되었으면 한다.

막내아들과 택

밤 한 시가 넘어가고 있다. 밤 한 시가 지나면서 시계 초바늘과 내 초조감이 속도를 같이 한다. 돋보기를 낀 눈은 책 활자 위에 놓여 있지만 내 귀는 온통 차고 앞 드라이브 웨이 위에 꽂혀 있다. 내 옆구리에 막내아들의 개 "택"이 머리를 고이고 있다. 멀리서 땅을 스치는 차바퀴 소리마다, 택의 "움칠" 하는 몸의 움직임이 나와 동시에 일어난다.

개의 귀가 사람의 귀와 비교할 수 없이 월등이 밝다고 하지만, 아들을 기다리는 애미의 청각은 개의 청각과 다를 바가 없나보다. 아들의 옆구리를 밤마다 배고 자던 "택"이란 놈이 아들이 없으면 내 침대에 올라와 내 옆구리에 턱을 고이고 슬프디 슬픈 눈으로 제 주인을 기다린다. 셰퍼드 크기의 커다란 덩치의 개, 택은 눈이 부리부리하고 사납게 보이지만 가만히 들여다보면, 여린 눈빛이 가득하다. 6개월 된 개가 앞발 하나가 어른 주먹만하다. 콧등, 배와 다리가 하얀 털이고 꼬리 끝이 흰털로 모여 있다. 뒷마당에 왠 흰 솜덩이가 풍덩풍덩 뛰어 다닐까? 하면 고놈 "택"

이 틀림없다.

말수가 적고 복합적인 사고력을 가진 이 막내는 철학을 공부한다. 택은 막내가 대학에서 자취하면서 갓난 강아지를 Animal Rescue(동물보호소)에서 사다 기른 놈이다. 막내는 모든 정과 사랑을 이 개에게 주며 개한테서 정을 받는 것 같다. 아주 늦게 집에 들어와 별이 총총한 밤에도, 비가 쏟아지는 밤에도, 개를 데리고 산보를 간다. 달빛 속에서, 막대기를 던져 물어오게 하는 훈련을 시키면, 택은 너무 좋아 몸을 꼬아가며 펄쩍펄쩍 뛴다. 이 개를 돌보고 아끼는 막내를 보며 가족간에는 무뚝뚝하다고 정평이 나 있는 이애가 얼마나 정감이 많은 앤가 하고 바라보게 된다. 어미 없는 자식 키우듯 키운 택, 요녀석은 우리 막내의 애지중지한 자식이다. 이 택과 나는 우리 막내녀석이 돌아오는 기척에 온 신경을 곤두세운다. 겨울 방학 동안 잠시 학교에 다녀 올 일이 있어 택을 집에다 두고 갔다. 저녁 늦게까지 아들 차를 세워 둔 자리에 청승스럽게 앉아 있던 놈을 집안으로 불러들였더니 기가 죽어 어슬렁어슬렁 내 방으로 들어왔다.

"엄마 여긴 눈이 3인치나 왔어요."

아들이 전화에 대고 말한다.

"집에 가는 도중이 산중턱이라 눈이 더 많이 왔을 것 같아요."

"그럼 오늘 오지 말고 내일 낮에 와라."

"괜찮아, 엄마! 걱정 말아요! 알아서 할게요."

시계 바늘이 더 빨리 움직이는 것 같다. 조그마한 소리에도 내 옆구리에 턱을 고이고 있는 택과 나는 동시에 움칠 하기를 수십 번. 시계는 2시로 달리고 있다.

"오는 걸까 안 오는 걸까…."

조바심에 시계에서 눈을 뗄 수가 없다

"밤이면 산중턱에 눈이 더 많이 쌓일 텐데…, 비탈진 산길에 소금을 안 뿌릴 거고, 말할 수 없이 미끄러울 텐데…."

차 핸들을 잡고 눈 위에 미끄러져가는 차 속에서, 속수무책으로 아찔했던 순간을 지금 나는 실제로 느낀다. 막내가 차 사고로 헬리콥터로 병원에 실려 갔던 기억이 더욱더 심장을 조여들게 한다. 이 시간에 어디에 연락할 길도 없다. 애꿎은 시계만 뚫어지게 보며 침대에 오뚝이 앉아 있다. 온 몸과 가슴이 조여들어 있기를 몇 시간, 어느새 뿌연 빛이 어둠에 섞여 들어오고 있다.

차가 천천히 속도를 낮추며 들어오는 소리가 나자 개와 나는 동시에 벌떡 일어났다. 나는 유리창문으로 다가가고 "택"은 아래층으로 우당탕거리며 쏜살같이 내려간다. 아들의 빨간 차가 드라이브웨이에 세워진다. 차고 문이 열리자 밖으로 뛰어나간 택, 미처 열리지 않은 차문 쪽에서 길길이 뛴다. 좋아 어쩔 줄을 몰라하는 택을 아들은 껴안고 쓰다듬어 주고 안아 주고, 꼬리가 끊어지도록 흔들어대는 택과 아들의 열렬한 만남을 한참 내려다본다. 천천히 계단을 내려간다.

"왜 이렇게 늦었니?"

아들 얼굴을 살핀다.

"오는 길에 별일 없었니?"

"학교에서 늦게 출발했어요"

아주 덤덤한 표정이다.

"오는 길도 괜찮고 아무렇지도 않았어요."

냉장고 문을 연다. 눈으로 먹을 것을 찾는다.

"거기 샌드위치 고기 사다 놓았다."

"어디?"

손가락으로 흰 종이에 돌돌 말린 뭉치를 가르쳐 준다.

"샌드위치를 만들어 주랴?"

"아니, 제가 만들어 먹을게요, 엄마는 가서 주무세요."

허기가 진 표정으로 고기를 꺼내 빵 조각 사이에 넣자 입으로 가져가 크게 깨문다. 몇 번 깨물자 샌드위치가 감쪽같이 없어진다. 또 하나를 얼른 만들어 씹으면서 그때까지 멍하니 서 있는 엄마를 쳐다본다.

"엄마! 어서 가서 주무세요."

빵 조각을 입에 문 채 TV를 켠다.

"가서 자라"는 생각해 주는 말 한마디에 가슴이 뭉클한다. 아들의 따뜻한(?) 말 한마디가 새벽까지 조이게 했던 마음을 금세 풀어버린다. 그러나 아들은 밤새 기다렸던 엄마의 마음을 알기나 할까…? 무사히 와 준 것만 그저 감사할 뿐이다. 긴장이 풀리고 나니 피곤이 한꺼번에 몰려온다. 나는 갑자기 힘이 빠져나간 다리를 느릿느릿 층계에 올리며 나의 침실을 찾아간다.

어머니 날

오늘, 교회에 들어서자 분홍색 카네이션을 앞가슴에 달아준다. 어머니가 생존해 계시지 않는 자녀에게는 흰 카네이션을, 어머니가 생존해 계시는 자녀에게는 빨강 카네이션을 달아주는 어머니 날이다. 꽂혀진 분홍색의 카네이션을 바라보며 생각한다. 나는 어머니가 생존해 계시지 않고 그러고 나 자신이 자식을 가진 어머니니까 흰색과 빨간색이 합하여 분홍색이 되었나보다고,

"당신 오늘 웃겼어." 남편이 나의 귀에다 소곤거린다. 단상에서 열심히 설교하시는 목사님의 눈치를 살피며 또 소곤거린다. "여기 서너 명의 권사님, 그 다음이 당신이야" 무슨 말인가 하고 고개를 돌려 남편의 얼굴을 쳐다본다. 장난기가 가득찬 짓궂은 웃음으로 나를 옆 눈길로 마주 쳐다본다.

어느 해였던가, 그날도 어머니날이었다. 어머니 날 여성 4중창을 했는데 그 중의 한 사람이 나였다. 여성 4중창을 하자고 하

기에 아무런 생각 없이 간단히 연습을 하고 헌금 송을 했다.

언제나 그랬듯이 어머니 노래는 눈물주머니를 터뜨린 양 걷잡을 수 없이 눈물이 흘러내리게 한다. 가까스로 끝내고 남편 옆 내 자리에 돌아와 앉았다.

"가만히 앉았다가 왜 벌떡 일어나 나가나 했지." 주책스러워 못 견디겠다는 듯이 퉁명스레 한마디 더 붙인다. 남편의 놀림에 가만히 고개를 돌려 주위를 둘러보았다. 정말 나이 많은 사람 중 다섯 손가락에 들어가는 내 나이였다. 나도 모르게 얼굴 밑이 훗훗해지며 붉게 달아올랐다.

목사님의 열정적인 설교도 귓전으로 흘리며 나는 생각에 잠긴다. 어째서 내 나이를 그토록 잊어버렸을까…. 점잖게 앉아서 20대로 올라간 우리 아이들한테서 어머니 노래를 들어야 할 나이인데, 정말 남편 말 마따나 주책없게스리, 이 나이에 젊은 전 교인 앞에 나가서 어머니 노래를 부르고 있었다니….

어머니 그 이름 밑에는 언제나 나는 어리고도 천진난만한 어린아이가 된다. 어머니의 품안은 늙은 나의 모습을 잊어버리게 한다. 주마등처럼 지나가는 어린 시절의 어머니 모습은 언제나 가슴을 훈훈하게 덥혀 온다. 그와 동시에 후회와 참회, 애달픔으로 흐느껴 오르는 북받침의 이 눈물을 어찌하랴!

해마다 다가오는 어머니날, 오늘 아침 일찍, 나는 남편의 산소를 찾았다. "사랑하는 나의 할망구에게" 익살이 가득한 어머니날의 카드와 함께, 해마다 잊지 않고 보내 주던 소박한 들꽃의 꽃다발, 남편의 저 깊은 마음속에서 우러나는 진실한 말들을 너무나 명확하게 전달해 주던 꽃다발, 가슴에 새겨본다.

푸름으로 이어주는 부드러운 능선 위, 잔디로 덮인 남편의 무덤 옆에 나는 앉아 있다. 오늘은 조용히 지나가는 차가 유난히 많다. 중년에서 노인까지 고뇌를 한몸에 지닌 듯한 남자 어른들의 숙연한 모습이 이곳 저곳에서 눈에 띈다. 그 중에 나의 눈길을 강하게 끌어내는 곳이 있다. 노란 머리를 길게 길러 뭉툭하니 묶은 남자, 히피족처럼 아무렇게나 걸친 옷차림. 우리 막내아이 또래, 스물 넷, 다섯쯤이나 될까? 예쁜 꽃다발을 품에 안고 무덤 앞에 숙연히 서 있는 모습. 푸른 잔디로 덮여진 무덤을 오랫동안 내려다보고 있다가 조용히 무릎을 꿇고 꽃병에다 천천히 꽃을 꽂는 모습이 나의 가슴에 찐하게 와 닿는다. 그의 어머니 무덤이겠지. 어머니 앞에서 무슨 말을 그렇게도 길게 했을까? 천천히 되돌아가는 젊은이의 뒷모습을 나의 눈길은 끝까지 따라갔다. 나도 무덤 속의 저 청년의 어머니와 같이 아들에게 잊혀지지 않는 어머니가 될 수 있을까? 어머니 날, 한아름의 꽃다발을 안고 무덤을 찾아오는 아들이 있는 어머니….

오가는 차들이 점점 띄엄해지는 이곳, 저쪽 하늘 끝에는 검은 구름이 서서히 이쪽으로 몰려오고 있다. 급기야는 굵은 빗방울을 떨어뜨린다. 다시 적막하리만큼 조용해진 잠자는 영들의 공원에 차 한 대가 조용히 선다. 차 문이 열린다. 짧은 바지와 짧은 웃옷을 입은 외모가 반듯한 중년의 남자가 풍성한 한아름의 꽃을 안고 내린다. 이미 많이 꽂혀진 꽃 항아리에 예쁜 꽃을 함께 꽂는다. 그 자리에 멈추어 선 채 비석을 바라보고 있다. 굵은 빗방울이 소나기가 되어 그의 머리와 어깨에 쏟아진다. 내리는 비를 그대로 흘리며 묵묵히 생각에 잠겨 있는 중년의 남자, 눈물과 빗물이 섞인 내 눈길 속에 이 중년의 남자 모습이 점점 흐려져 간다. 봉긋이 올라온 무덤이, 가파른 산허리에 나타난다. 심겨진 장미 나무를 손질한다. 잡초를 뽑아낸다. 무덤의 봉우리를 손으로 쓰다듬는다. 태평양 건너 어머니, 아버지 무덤을 손질하는 나를 눈물속에서 본다.

호수와 나

저녁 8시 땅거미가 연하게 내려앉을 무렵, 여느 때와 같이 태리를 옆에 앉히고, 차를 몰아 집에 왔다. 언덕길에 올라서 오른쪽으로 꺾으면 오목한 숲을 지나서 금방 보이는 우리집, 오늘따라 집 앞 외등이 켜져 있다. 의아하게 생각하며 가까이 다가가니, 차 한 대가 서 있고 중년 남녀가 잔디밭을 왔다갔다 하며 우리집을 올려다 보고 있다.

전화 연락도 없이 복덕방 사람이 마음대로 집을 보여 주고 있는 모양이다. 언짢은 마음이 얼핏 스쳤다. 차창 밖으로 그들을 힐끗 보고, 우리집 앞을 그냥 지나쳐 버렸다. 얼굴을 맞대지 않는 것이 서로에게 좋을 것 같아서였다.

언덕을 도로 내려와, 바로 언덕 밑 호수가로 차를 몰았다. 간편한 옷차림의 사람들이 여기저기 보인다. 낚싯줄을 호수에 던지고 있는 사람, 어린애들을 데리고 벤치에 앉은 젊은 부부, 햇빛에 새빨갛게 익은 피부를 드러낸 젊은이들, 크고 작은 개들을 데리고 저녁 산보 온 부부들, 이렇게 호수가 각층의 많은 사람들을 끌어모아 놓고 있었다. 구석진 곳에 차를 정차시키고 태리와 같이 내렸다.

해보다 더 큰 하얀 달이 나무 잎새에 걸려 있다. 아침저녁, 일하러 오가며 호수의 잔물결 위에 스치는 눈빛을 담갔던 호수, 오늘 저녁은 가슴 가득히 잠기고 싶다.

"S" 자 모양으로 길게 늘어진 호숫가를 거슬려 올라가며 잔디밭을 걸었다. 잔디밭의 서리에, 샌들을 신은 발은 촉촉이 적셔온다. 마음씨가 좋아 보이는 한 강태공은 낚싯줄을 감으며,

"헬로,"

지나가는 인사를 나에게 건넨다.

"하이,"

인사를 되돌려 주며, 잔디밭을 계속 걸어간다.

태리 녀석이 잔디밭에 실례를 한다.

"Take care dog's drop" 이란 표지판이 눈에 유달리 크게 띈다. 넓적한 이파리를 따서 태리의 실례를 치운다. 며칠 전, 지나간 태풍이 한아름들이 나무를 뿌리째 호수 속에 던져 놓았다. 호숫가에 심겨진 뿌리가 눅눅한 땅에서 버틸 힘이 없었나보다. 가느다랗게 이어 있는 다른 한 부분의 뿌리가 땅속에 심겨진 채로다. 이 나무가 옆으로 누운 채 호수 속에서 자란다면….

"누워서 자라나는 멋진 나무" 를 상상하다, 뒤를 돌아보니 태리가 없어졌다. 고개를 돌려 두리번, 저만치 벤치 가에 코를 땅

에 대고, 부지런히 냄새를 맡으며 살살거리며 다니고 있다.

"요놈 봐라."

나무 뒤에 숨었다.

"태리야!"

소리쳐 불렀다. 깜짝 놀라 땅에 박았던 머리를 펄쩍 든다. 소리나는 쪽을 본다 .

"태리!"

소리나는 방향을 응시, 달려온다. 잽싸게 나무 뒤에 숨었다. 소리는 났는데 엄마가 안 보인다. 당황하며 이리저리 뱅뱅 돌며 반대쪽으로 달린다.

"태리!"

한 번 더 소리쳤다. 방향감각을 잡고, 내 쪽으로 온다. 커다란 나무둥치를 안고 이리저리 몸을 감춘다. 완전히 당황한 태리는 잔디밭 한가운데서 안절부절, 이리저리 뛴다.

약 20여 년 전이다. 온 가족이 디즈니 월드에 여행가서 바비를 잃었었다. 잃은 애를 찾느라 우린 몹시 당황했다. 사람 틈에 끼어 방황하는 바비를 우리가 먼저 찾았다.

"요놈 어떻게 하나 보자" 하고 아빠, 형인 샨, 그리고 나는 건물 입구에 숨었다. 엄마, 아빠는 찾지 않고 4살 위인 형인 샨만 찾는다 덜컥 겁이 난 목소리로 "샨! 샨!" 제 형을 찾아 뱅뱅 돌고 있었다.

보다 못한 형이 뛰어 나가 3살 박이 동생을 안았었다. 엄마, 아빠는 더 놀래주고 싶었는데…, 그때 형제가 서로 의지하고 아껴주는 모습이, 언제나 내 가슴을 훈훈히 덥혀 주었었다. 동생을 아끼는 형의 마음이 부모 보다 낫다고 생각했기 때문이었다. 바비를 쳐다보던 심정으로 나는, 지금 태리를 보고 있다. 태리를 한 번 더 불렀다. 나무 뒤에 숨은 나를 찾아 뛰어온다.

"깍꿍!"

나무 뒤에서 튀어나갔다. 꼬리를 마구 흔들며 펄쩍펄쩍 뛰어오른다.

"겁—쟁—이—!"

두 앞발을 치켜들어 두 손으로 잡고, 얼굴을 마주보며 놀린다.

"태리야! 벤치에 앉자."

호수 물이 닿을 듯한 곳, 초록색으로 칠한 깨끗한 벤치에 앉았다. 태리가 펄쩍 뛰어 올라앉는다.

작은 댐에서 떨어지는 물소리가 요란하다.

"같은 소음이라도 물소리는 어째 이리 맑고 듣기가 좋을까?"

"자동차 소리와 물 흐르는 소리, 모두가 시끄러운 소리인데, 자연이 만드는 소리는 청량제이고, 어째 인간이 만든 기계의 소리는, 그렇게도 사람의 신경을 거스를까?"

엉뚱한 생각을 하며, 귀는 물소리에, 눈은 공중에서 허우적거리는 새 한 마리를 본다. 조금 아까 풀밭에서 방황하던 태리처럼, 요놈은 새인가? 박쥐인가…? 호수 위 공중에서 애처로울 만큼

올랐다, 내렸다, 갈팡질팡이다. 또 한 놈의 새가 숲속에서 날아온다. 여전히 방향감각을 잃은 놈은 안절부절….

바비—태리— 새 그리고 나를 본다. 모두가 방향감각을 잃은 무리일까…?

집을 팔면 어떻게 해야 할지 망망한 심경이다. 어둑어둑해진다. 어느 새, 한두 사람씩 떠나기 시작하더니 벌써 이곳이 한산해진다. 호수를 두르고 있는 숲이 어둠을 가만히 안고 와 호수에 소리 없이 담그고 있다. 호수 건너편에는 그림처럼 앉아 있던 연인 한 쌍도 털고 일어선다.

"태리야! 우리도 가자!"

"가자" 소리에 가장 민첩한 반응을 보이는 태리는, 뒤도 안 보고 우리 차 쪽으로 뛰어간다. 하얗던 달이 불그스레 빛을 머금고 검정색의 나뭇잎들 사이로 조각조각이 된 얼굴들을 수집은 듯 들어낸다.

고요가 다시 찾아든 까만 호수 위에 나의 기다란 눈빛을 남기고 돌아서 나온다.

나의 개 태리와 아파트

굵은 나무들이 아파트 전면을 가리고 있다. 띄엄띄엄 걸려 있는 외등이 나무 그림자를 길게 늘어뜨리고 있고, 어둠이 하늘을 내려앉히고 외등만이 간신히 어둠을 헤치고 있다. 인기척 하나 없는 아파트 단지, 숲과 숲들 사이 간간히 비치는 건물이 아파트 단지임을 말해 주고 있다. 예쁘장한 집 속에 쓰레기통을 감추어 버린 한 모서리, 푸른 색의 커다란 벤이 놓여 있다. 외등이 뚫고 들어 온 벤 속은 그대로 침울하기만 하다.

"태리야! 나도 어쩔수 없어 그런다."

"아까 목마르다 그르지 않았니, 물 조금만 마셔 봐 응."

차를 타고 올 때, 에어 컨디셔너를 최대한으로 세게 틀어 놓았지만 혀를 있는 그대로 내어놓고 헉헉거리는 태리가 안쓰러워 차를 대자마자 물을 떠 온 것이었다. 물그릇을 입에다 갖다댔었지만 새까맣고 반질한 입술을 그대로 꼭 다문 채 얼굴을 돌리고 있다. 물 컵을, 과자를 입에 갖다대고 사정을 해도 태리의 섭섭

함을 돌릴 길이 없다.

"태리야! 나도 정말 어쩔 수가 없어 그래" 같은 말을 되풀이하는 나의 말끝이 떨려 나온다.

"태리야! 뽀뽀!" 기분이 좋으면 핥기를 잘하는 태리에게 뽀뽀하면서 얼굴을 갖다댄다. 옆으로 얼굴을 돌린 채 화가 난 듯 무심한 듯, 눈 흰자위를 눈 가장자리에 모으고 마주 쳐다보기를 거절한다. "그래, 태리야, 네가 어떻게 알겠니, 나도 모르겠는데…"

차창 앞에 놓아두었던 차 열쇠를 쥐었다. "그래 태리야! 알았다, 너 편한 데로 보내줄게, 가자!" 시동을 걸고 차를 후진했다. 서로가 서로를 조심하는 듯한 조용한 분위기를 흐트리지 않으려고 조용히 아파트 단지를 빠져나왔다. 이 아파트 입주 후, 태리를 며칠째 아는 친구에게 맡겨 두었다. 얼마나 나를 보고 싶어할까? 어떻게 지나나? 눈앞에 자꾸 밟혀서 밤늦게 도로 찾아왔다. 이 아파트는 개는 절대 사절, 데리고 입주 할 수 없다는 엄격한 규율 밑에서 태리와 나는 생이별을 하게 되었다. 개의 천국인 미국이, 그 속에서도 개는 개임을 완연히 증명하는 아파트의 규율, 나는 태리를 데리고 한 시간이나 떨어진 친구 집으로 도로 데리고 가는 것이다.

"나만 좋다고 네가 좋은 것이 아닌걸… 내 욕심대로 너를 차속에서 재우기로 한 것이 내 잘못이야." 왼손으로 운전하며 심통이 난 태리의 등을 자꾸만 어루만져 주었다.

"이 세상이 왜 이렇게 돌아가는지 나도 모르겠는데 네가 어떻게 알겠니…" 같은 말을 태리에게, 아니 자신에게, 계속 되풀이 하면서 태리의 조그마한 머리와 등을 어루만진다.

"네가 마음껏 뛰놀던 널따란 잔디가 있는 집에는 안 가고, 왜 이렇게 우불구불 올라가는 언덕길 위, 낯익지 않은 이 곳에 데리고 와서, 차에서도 내리지 못하게 하는지 너 한테 내가 그 긴 얘기를 어떻게 할 수 있을까?" 처량해지려는 자신을, 등에서 자꾸 내려앉는 업은 애를 힘겨워 치켜올리듯 태리에게 말을 건네며 잊으려 한다.

차 타기를 무서워하는 태리는 의자 등에 몸을 박고 쭈그리고 있다. 행여 의자에서 떨어질까봐 겁이 나나 보다. 차가 서서히 속력이 낮아지자, 움츠렸던 몸을 펼치고 차창 밖을 고개를 내밀고 내다본다.

눈에 익은 집들이 보이니 활기를 되찾는다. 차 문을 열자 급히 뛰어내린다. 이리 뛰고 저리 뛰고 좋아 어쩔 줄 몰라 한다.

"태리야! 너는 사람 보다 낫다, 싫고 좋은 것을 어떻게 그렇게 분명하게 표시하니?"

잔디 위에서 미끄러지듯 뛰어 다니는 태리를 보고,

"태리야! 이리 와! 엄마 뽀뽀! "

쏜살같이 뛰어온다. 펄쩍펄쩍 뛰며 입에다 입을 갖다댄다. 잔디에서 이리저리 뛰다가도 고개를 뒤로 돌려 내가 따라오는 것을 확인한다. 어둠으로 뒤덮인 하늘 밑 외등이 밝혀 준 희미한 속 껑충거리는 태리가 유난히 밝아 보인다.

사슴사냥과 아버지 사랑

피츠버그를 둘러싼 야트막한 산들, 울창한 숲으로 가려졌다가 나무잎들이 다 떨어지자 블라인드를 열어 놓은 것 같이 산 속 여기저기 집들이 환히 보인다.

올해는, 가을이 지났어도 아직 겨울이 오지 않는다. 11월도 마지작이건만 화씨 60도를 웃돌고 있다. "파인 크릭크"의 굽어진 길을 돌아 "맥나이트 로드"에 들어선다.

갈색의 갈대숲이 차도 가에 늘어서서 바람에 흔들리고 있다. 가랑잎들은 나무 발목에 수북히 쌓여 있고, 맨살의 수많은 잔가지들이 제 세상을 만난 듯 하늘을 향해 뻗치고 있다. 옷을 벗겨 놓은 나무들의 몸둥아리가 오히려 친밀감을 가지고 마음에 다가온다.

달리는 차 속 라디오의 뉴스가 알린다 .

"오늘부터 사슴사냥이 시작됩니다."

큰아들이 18살에 고등학교를 끝내고 대학에 입학했었다. 아버지는 아들과 번갈아 가며 8시간을 운전하여 대학교에 데려다 주었다. 아들을, 시멘트 바닥과 조그마한 유리창이 뚫려 있는 기숙사에, 외톨이로 남기고 떠나오는 아버지 마음은 쓰리기만 했다.

그렇게 해서 떠난 아들은 여름방학에는 일자리를 구해 하루 이틀 집에 잠깐 왔다가 학교로 도로 돌아가 일하곤 했다. 대개의 미국에 사는 아이들은, 고등학교를 졸업하고 타지의 대학으로 떠난다. 부모와 떨어져 있고 싶어서란다. 그래서 사실상, 대학을 가면서부터 자식들은 영영 부모와 떠나고 손님처럼 간간이 집에 올 뿐이다.

이 아들도 대학을 졸업하고 뉴욕에 직장을 구해 일년 일하다가 대학원에 들어갔다. 아들이 대학원을 졸업하고 직장을 찾아 떠나기 전에 얼마간 집에 머물게 되었다.

그 동안 아들은 아버지 키보다 머리 하나가 더 커져 있고, 어깨는 벌어지고 수염도 매일 아침마다 깎아야 했다. 아버지는 두 어깨가 둥그렇게 안으로 굽어 처져 있고, 머리털은 빠져 이마가 두 배로 커져 보인다. 몇 차례의 병고는 근육의 힘을 다 앗아가 양팔과 다리에 힘이 없어 보인다.

아들이 집에 돌아온 후, 깊게 파인 주름살 위에 기쁨이 스며들고 활기에 차 있다. 그 어떤 기대감과 흥분이, 처져 있던 어깨를 올리고 근육에도 새 힘을 올리는 것 같다.

부산하게 다니던 아버지가 어느 날 아들과 함께 나갔다 돌아

왔다. 아들과 나란히 들어오는 아버지는 기쁨과 흥분으로 얼굴마저 상기되어 있다. 아들은 묵직한 상자를 차에서 내린다.

상자 그 속에 기름기가 쪼르르 흐르는 갈색의 사냥 총 두 자루!

아들과 사냥총을 번갈아 보는 아버지의 눈에는 생기가 난다. 행복이 피부 속에서 스며나와 주름살을 편다. 이때가, 사슴사냥의 절호의 기회라며 커다란 미국 지도를 펴고 붉은 펜으로 사냥터를 표시하기 시작한다. 사냥의 장소와 날짜를 정한다.

아버지는 아이같이 흥분하고, 아들은 어른같이 침착하다.

기대에 들떠 기뻐하는 아버지, 직장을 잡고 떠날 준비로 시간이 없는 아들, 두 사람의 엇갈린 표정을 엄마는 말없이 바라다 볼 뿐이다.

드디어, 이들 둘은 안개가 뽀얗게 내린 새벽을 뚫고 산을 마음대로 오르내릴 수 있는 지프를 타고 떠났다. 아버지의 오랜 꿈은 바야흐로 이루어지고 있는 것이었다.

3일 후, 그들은, 아버지와 아들만이 아는 부자간의 사랑을 안고 돌아왔다.

"별이 아직 남아 있는 새벽에 오랜지 색 사냥조끼를 입고 호텔을 나섰지, 그 호텔은 미국 각지에서 모여든 사냥꾼으로 북적댔어." 아직도 흥분이 가시지 않는 어조로 말을 잇는다.

"새벽에 커피와 토스트로 아침을 간단히 먹고 샨이 한참을 운전해서 사냥 장소에 도착해서 걷기를 시작하는데 오른쪽 운동화 끈이 자꾸 풀리지 않겠어."

무심한 듯 오른쪽 발을 내려다본다.

"오른쪽 신발이 덜커덩덜커덩 소리를 내며 자꾸 벗겨지는데, 앞질러 가던 샨이 뒤를 힐끔힐끔 보기에, 혼자 먼저 가라고 손짓을 해 주었어."

"엄마! 그런데 한참을 숲 속을 헤쳐 나가는데도 사슴새끼 한 마리 안 보이더라구요."

열심히 사냥총을 닦고 있던 아들이 말참견을 한다.

"나중에는 너무 힘이 없어 그 자리에 주저앉아버렸지, 한참을 언덕에 기대어 쉬었더니 기운이 새로 나더군, 그때사 Rattling Antler' s(왈각달각 소리를 내어 숫사슴을 유인하기위한 사슴의 가지인 뿔의 모조품)을 꺼내어 소리를 부드럽게 내고 있었어. 그러다 무심코 언덕을 올려다보니 어떤 사람이 나무 꼭대기에 앉아 총을 겨누고 있지 않겠어. 하도 신기해서 온정신을 가다듬고 보니 그 사람이 바로 샨이 잖아!"

아버지는 눈을 휘둥그래 뜨고 그때의 놀람을 감추지 못한다.

계속 아버지는 말한다.

"나는 모조품의 사슴뿌리로 왈각달각 소리를 계속 냈어. 샨이 어떻게 나무꼭대기 위에 올라 앉아 있는지 신기해서 견딜 수가 있어야지…." 아버지는 아들에게 눈길을 돌린다.

"엄마! 나는 언덕 모서리에 앉아 있었는데 큰 나무 꼭대기에 가려져 있었거든요. 그런데 아빠는 내가 나무 꼭대기에 앉아 있는 걸로 보셨대요."

장성한 아들 앞에서는 아버지는 어처구니가 없을 만큼 빨리 노인네가 되어버리나보다. 남편을 넌지시 바라다보았다. 그 민첩함과 정확한 판단은 어디로 갔을까…?

아버지와 아들은 몇 차례 더 사슴사냥을 갔다왔다. 오른쪽 다리는 점점 힘이 없어져 갔지만, 아버지 얼굴에는 만족감과 생기가 날로 더해갔다.

"아빠는 사냥을 안 하시고 절더러만 사냥을 하라고 하셨어요. 아빠는 기진맥진하셔서 걷지도 잘 못했어요."

마지막 사냥을 다녀왔던 날, 아들은 말한다.

"제가 신이 나서 사냥하는 걸 보시고 너무 기뻐하시기 때문에 총 뿌리를 겨누고 사슴 똥을 따라 열심히 헤매다 왔어요."

그러던 아들은 직장을 따라 집을 떠났다.

아들을 떠나보내고 난 그날, 아버지는 남몰래 오른쪽 어깨의 옷을 벗기며 어깨를 어루만진다. 사격연습에서 총 무게의 반동으로 얻은 멍 자욱이 점점 커져갔다. 지병으로 쿠머던을 복용하고 있던 아버지는 조그마한 충격에도 모세혈관이 터지고 출혈이 멎지 않았던 것이다.

시퍼런 멍이 솜뭉치처럼 부풀어 있다. 아버지는 그 멍 자국을, 훈장을 만지듯 어루만진다.

주름진 얼굴에 행복한 웃음이 번져나간다.

"맥나이트 로드"를 벗어나 다운타운 쪽으로 차는 달리고 있다. 파아란 하늘 밑, 산과 산 사이로 높다란 빌딩들이 나타난다. 수없는 추억들이 스쳐간다.

"당신은 인생을 정말 풍성하게 살다 갔네요."

남편이 나에게 묻는 것 같다.

"그러면 당신은?"

"……."

"당신은 안 그래?"

"……."

"……."

우리집 개, 태리 2세의 팔자

나는 우리집 개, 태리 2세의 이야기를 하고 싶습니다. 이 태리 2세는 팔자가 하도 기구해서 그냥 지나칠 수 가 없기 때문입니다.

태리 1세가 죽고 그의 추억을 그대로 간직하고 싶다고 다른 개를 기르는 것을 극구 반대하던 아이들도 집을 떠나 학교를 갔습니다. 몇 년이 지났습니다. 우리는 새 집을 사서 이사를 했습니다. 개를 기르고 싶다는 생각이 남편과 나는 동시에 생겼습니다. 그러나 어떤 개를 사느냐는 서로 의견이 달랐습니다.

나와 같이 틈만 나면 애완동물상점에 들르던 남편은 갓 낳은 예쁜 강아지를 보고 너무 귀엽다며 거기에 있는 개를 사자고 했습니다. 나는 이왕이면 불쌍한 개 한 마리 사서 옛날 태리처럼 키우자고 했습니다. 그래서 틈만 나면 혼자서 동물 보호소에 들려 옛날 태리 같은 개를 찾아다녔습니다. 그러나 몸집이 송아지만 한 큰 개나 마구 짖어대는 영악한 개만 있었습니다. 순하고 자그마하고 예쁘장한 우리 옛날 태리 같은 놈은 없었습니다. 남편하고 애완 상점에 들릴 때마다 나는 이런저런 이유를 대며 상점에서 개를 사는 것을 반대했습니다.

어느 날, 창살을 손톱으로 마구 그어대고 펄쩍펄쩍 뛰며 요란하게 짖어대는 처참한 개들의 집합소, 동물 보호소 안에 머리통과 등어리는 짙은 회색으로, 털이 빠져 부실부실하고 하얀 털은 누렇게 되어 볼품없이 초라하고 야윈, 창살 안에 갇힌 조그마한 개를 보았습니다.

이 개는 다른 개와 달리 데려가 달라는 듯이 애처롭게 몇 번 짖다가는 쉽게 체념하고 자기 밥그릇 옆으로 돌아갔습니다. 그리곤 두 앞발에 턱을 고이고 슬프디 슬픈 눈을 가지고 나를 바라보고 있었습니다. 그 슬픈 눈이 나의 마음을 움직였습니다. 창살 앞에 붙여 놓은 명찰을 보았습니다. 이 놈도 mixed Terrier이었습니다. 나는 눈이 번쩍 뜨였습니다. 겉 모양은 완전히 다르지만 옛날 개와 같은 종자였습니다.

같은 9개월! 또한 같은 암놈이었습니다. 옛날 태리를 다시 찾은 듯 너무도 반가웠습니다.

이 개가 동물 보호소까지 온 경로를 알아 보았습니다.

① 개 주인이 병으로 돌아가자 동물 보호소로 이송, ② 둘째로 시집 간 집에서 사냥 솜씨를 뽐내려다 그집 애들이 사랑하는 토끼 새끼를 물어죽이고 쫓겨나 보호소로 다시 직행, ③ 셋째로 간 시집은 두 할머니가 계셨는데 이 강아지가 너무 천방지축, 모든 것을 물어뜯어 할머니들이 도저히 키울 수 없어서 보호소로 또

다시 직행.

팔자가 이토록 기구한 이 강아지 이름은 Stephen이었습니다.

나는 남편과 같이 그 동물 보호소에 가서 Stephen을 보여주었습니다. 나의 설득에 남편도 동의했습니다. 네번째로 시집 온 우리집, 팔자를 고쳐주자며 이름을 바꾸었습니다.

Terry Junior(태리 2세)!!!

이제부터 이 강아지의 팔자가 좋아질 거라며, 씻어주고 닦아주고 맛있는 개 밥 깡통을 골고루 사다놓고, 옛날 태리가 다시 살아 온 것같이 우리는 기쁘기 한량없었습니다. 태리 2세도 제 고향집으로 찾아 온 듯 넓은 앞뜰, 뒤뜰을 신나게 쏘다녔습니다.

우리집으로 시집 온 지 1주일째 되는 주일, 또 다시 태리의 처참한 운명이 기다리고 있었습니다.(이름까지 바꾸었는데도 말입니다.)

나는 성가대라 먼저 교회를 가고 남편은 뒤따라오기로 했습니다. 남편은 교회 갈 준비를 끝내고 태리를 불러들였습니다. 우리가 집에 없는 동안 밖에 나돌아다니지 않도록 집에 넣어둘 참이었습니다. 한참을 불러도 오지 않길래 차 시동을 걸었다고 합니다. 집 앞에서 차 소리가 나면 부리나케 뛰어오기 때문이었습니다. 차 있는 데로 쏜살같이 뛰어오다 마침 길 건너편에서 아이들이 왁자지껄 떠들면서 다가오고 있었다고 했습니다. 그때 차 드라이브 쪽으로 향해오던 속도 그대로 쏜살같이 길을 가로질러 가다 때마침 과속으로 달려오던 지프에 순식간에 깔리고 말았습니다.

외부에는 피 한방울 나지 않고 혓바닥이 있는 대로 길게 늘어져나와 자주 빛이 날 정도로 파랗게 질려 있었고, 숨도 제대로 쉴 수 없는 Shock 상태였습니다. 지프의 주인이 운전을 하고 남편은 태리를 안고 동물 응급실을 달려갔습니다. 거기서 응급치료를 받고 링거를 꽂은 채 다시 외과 전문의를 찾아 달려갔습니다. 태리는 그 병원에서 두 차례 대퇴골 수술을 받았습니다. 외과의의 말에 의하면 양 대퇴골은 박살이 나고 근육은 햄버그의 고기처럼 갈려 있었다고 했습니다. 수술 후, 다리를 절름거리는 불구가 될지도 모르나 목숨에는 지장이 없다고 했습니다. 우리는 목숨에 지장이 없다는 말에 그저 감사하기만 했습니다. 남편과 나는 매일 저녁 면회를 갔습니다. 남편은 점심시간의 틈을 타서 태리 면회를 갔기 때문에 하루에 두 번씩 면회를 간 셈이 됩니다. "태리 박 면회!" 하면 우리를 사람의 병원보다 더 깨끗한 병실로 안내하고 상냥한 간호원이 태리를 안고 나왔습니다. 우리를 알아보고 맥없는 눈동자에 반가움이 스쳐 지나갔습니다. 아픔에 지친 듯하면서도 계속 꼬리를 흔들었습니다. 감사하다는 듯 우리들의 손등도 핥았습니다. 가슴이 뭉클하고 애처로운 마음을 걷잡을 수 없었습니다.

퇴원하는 날, 예쁜 꽃핀을 머리에 꽂고 엉덩이는 털이 빡빡 깎

인 채 분홍색 담요에 안겨 퇴원했습니다. 태리는 너무 착하고 아픔도 잘 견뎠기 때문에 수술을 잘할 수 있었다며, 의사들도 간호사도 태리를 무척 귀여워해주었습니다. 태리를 예뻐해주는 의사나 간호사들이 얼마나 고맙고 감사한지…, 몇 번이나 허리를 굽실거리며 **Thank You!!**를 연발하며 차에 올라탔습니다. 집에 도착하는 대로 병원에서 준 깔대기 같은 것을 거꾸로 뒤집어 씌웠습니다. 그것은 개의 칼라라는 것인데 양 쪽 대퇴 부위 상처에 기워놓은 실을 물어뜯지 않도록 예방한 것입니다.

우리는 극진히 태리를 간호했습니다. 변소에 갈 시간이 되면 수건을 두 뒷다리에 감싸들고 앞발로 걸어 볼일을 보게 했습니다.

며칠 후 나는, 뒤집어 씌운 칼라를 불편해하는 것이 애처로워, 자다가 일어나 태리의 칼라를 풀어주었습니다.

"여보! 여보! 큰일났다!!"

남편의 놀라 지르는 소리에 나는 기겁을 하고 벌떡 일어났습니다. 큰일을 많이 당한 가슴이라 나는 가슴이 계속 통탕거렸습니다. "자라 보고 놀란 가슴 솥뚜껑 보고 놀란다"는 옛말처럼 말입니다.

남편의 품에 안긴 태리의 상처는 있는 대로 입을 쩍 벌린 듯 붉은 상처가 그대로 열려 있었습니다. 기운 상처가 아물려 하니 가려워서 태리가 실밥을 다 뜯어버렸습니다. 응급실이 열릴 때까지, 남편은 태리를 안고 우리들은 초조한 마음으로 동이 트기를 기다렸습니다. 남편은 태리를 데리고 응급실을 가고 나는 그대로 잠들었습니다. 응급실에서 돌아 온 태리는 힘이 없어 축 처진 채로 동그란 개 침대에 꼼짝않고 누워 있었습니다. 너무 힘을 못 차리는 것 같아 인삼에다 병아리와 찹쌀을 고아 삼계탕을 해 먹였습니다. 먹자마자 거짓말같이 기운을 되찾고 두 귀도 쫑긋이 올렸다 내렸다 했습니다. 두 다리 사이에 끼었던 꼬리는 제자리에 돌아오고 빳빳하게 치켜세웠습니다. 인삼이 좋다고 해도 이렇게 좋은 것인 줄 미처 몰랐습니다.

"여보! 여보!" 남편은 큰 소리로 곤하게 자는 나를 흔들어 깨웠습니다.

"뭔데?"

벌떡 일어났습니다. 놀란 가슴이 정신없이 뛰기 시작했습니다.

"우리 이제 Millioner(억만장자)가 될 수 있어!"

아직도 놀란 가슴으로 눈을 휘둥글레 뜨고 있는 나에게 재미있다는 듯이 싱글벙글하며, "Millioner의 Idea야!, 정말 이건 히트 칠 거야. Gensen rice! 어때? 개 음식 특허를 받자 응! 틀림없이 불티나게 팔릴 거야."

"싱겁긴,"

홱 돌아누웠습니다. 자는 사람을 그렇게 놀라게 한 것이 화가 났습니다.

"Gensen Rice, 아니 Rice Gensen, 어떤 게 나아? 우리가 직접

보았지 않아? 아픈 개에게 특효야! 정말 그 이상 좋은 약은 없을 거야."

남편은 Gensen rice로 억만장자가 되는 꿈으로 밤 새 가슴이 부풀어올랐습니다. 나는 돌아누워 억만장자의 꿈에 들뜬 남편의 행동에, 웃음으로 벌어지는 입을 억지로 다문 채 잠을 청했습니다.

남편은 태리의 이발사이기도했습니다. 옛날 이발소에서 애들의 머리를 깎을 때 쓰던 것 같은 개 이발기계를 사서 길게 자라 지저분해지는 태리 털을 깎아주곤 했습니다. 태리는 털이 다 깎일 때까지 주인이 원하는 포즈를 끈기있게 취하여 이발사가 쉽게 털을 깎아줄 수가 있었습니다. 처음에는 조절을 잘못하여 까까중으로 만들어 버리기가 일쑤였습니다.

까까중이 된 태리를 안고 남편은 "태리야! 태리야! 차이니스 집으로 올려고 세 번이나 쫓겨났니?" "옛날 태리가 다시 태여나서 네가 되었나?" 하며 음조가 되지 않는 곡을 붙이면서 무릎에 앉혀 얼러주고 있었습니다. 태리도 얼러주는 것을 아는지 무릎이 흔드는 대로 무표정한 얼굴로 같이 흔들리고 있었습니다. 이렇게 얌전한 척하는 태리도 여간 얌체가 아니었습니다.

나는 소파에 앉아 삶은 고구마를 먹으면서 티브이를 보다 꼬박 잠이 들곤 했습니다. 그러다 잠이 깨어 손을 더듬어 먹던 고구마를 찾으면 감쪽같이 없어졌습니다.

남편 왈, 내가 잠이 들면 금방 그릇에서 고구마를 물어 내어 눈 깜짝할 사이에 다 먹어버린다고 했습니다. 하도 신통하고 기가 막혀, 신나게 태리가 먹는 걸 그냥 지켜보곤 한답니다. 주인이 잠든 걸 알고 훔쳐먹는 저 태리의 I.Q.는 얼마나 될까? 하고….

간혹 얌체 짓도 하지만 태리는 역시 우리집의 귀염둥이였습니다.

"태리야! 엄마 뽀뽀!" 하면 엄마한테 얼른 달려와 새까만 입술을 나의 입에다 대는 시늉을 합니다.

"태리야! 아빠 뽀뽀!" 아빠한테도 꼭같이 합니다.

우리집에 애들이나 손님이 오면 남편은 뽀뽀! 하면서 태리에게 돌아가면서 뽀뽀를 시킵니다. 손님들은 질색입니다. 그렇지만 남편과 태리는 제일 신이 나고 즐거운 한때입니다. 그러나 태리가 화가 났거나 기분이 안 좋을 때는 입술을 갖다대도 입을 옆으로 돌려 외면하는 지조가 높은 개이기도 합니다.

손톱, 발톱을 깎아주고, 목욕을 시키고, 맛있는 과자를 사다주고, 장난감을 골고루 사다주고, 이빨도 닦아주고 조그마한 상처도 얼른 찾아내어 약을 발라주던 태리의 아빠는 어느 날부터 영영 돌아오지 않았습니다.

이름을 바꾸어 팔자도 바꾸었다고 여겼던 그 팔자가 아빠가 떠나자 되돌아 왔습니다. 나는 집을 팔고 애완 동물 금지된 아파트로 이사오고(급히 이사를 해야 했기 때문에…), 다섯번째로 시집을 간 집은 막내아들과 택(막내아들의 개)과 같이 있는 조그마한 아파트, 마음대로 뛰어다닐 수 있는 뜰도 없는 아파트에 있습니다. 막내와 택은 어느 곳이건 둘이 같이 있으면 행복합니다. 그러나 태리는 그렇지 않습니다.

나에게 또 하나의 꿈이 있습니다.

애완동물을 허가하는 아파트로 다시 이사 가서 태리를 데리고 와, 옛날처럼 태리의 팔자를 바꾸어 놓는 것입니다.

사랑하는 며늘아가 제니에게

큰아들 Sean과 결혼하고 한국에서 새살림을 차린 며늘아기
Jenny에게 보낸 편지

아가! 새 며늘아가!

사랑하는 이를 따라

성격들도 다르고 가풍도 다른

남편의 집에 들어온

새 며늘아가!

새로운 식구 속에 새 사람들에게

고웁게도 적응하려고

온 정성을 다 하는

너의 모습이

눈물겹도록 기특하기만 하구나

아가! 새 며늘아가!

너의 친정에서는
막내로 귀염만 받고 철부지로 있다가
친정에서 받은 사랑을
시가 집에 와서 베푸는
너의 모습이
눈물겹도록 고맙기만 하구나

아가! 사랑하는 아가!
며느리 사랑은 시아버지라는데…
제니의 이름만 불러도
싱글벙글
온 세상을 다 주고 싶어하던 시아버님
이제는 하늘나라에 계시니…

그러나
아가!
눈앞에 보여야만 사랑이겠느냐
시아버님의 사랑
가슴속에 귀히 간직하고
가슴속의 소리를 들으며
풍요하게 살자꾸나

아가! 사랑하는 며늘아가!

마른 고목은

새순 나기가 힘들듯이

나이든 이 시어미는

고집과 아집으로 자신도 모르게

너를 어렵게 하지나 않을까

염려가 되는구나

아가!

마음 속에 화평이

서로 간의 사랑이

흔들릴 때는

조용히

주님께 아뢰어

주님의 사랑으로

눈을 다시 뜨게 해 주시라고…

우리 기도 하자꾸나

사랑하는 아가!

반평생을 넘어 갈 날을 계수할

이 나이에야

주님만이 진실이고

주님만이 자유케 하신 다는 것을
가슴속 깊은 곳에서 뼛속까지
깊이깊이 깨닫고 있구나

아가!
너희 둘 사이에
주님을 너희 가정의 주인으로 모셔
하나님의 질서를 따른다면
그것이 하나님께 영광이요
참 승리의 삶으로 가는 지름길이라는
이 진실을
너희 둘 가슴속에 남기고 싶구나

아가!
나의 시간을
나의 물질을
나의 지식을
주님을 위해 쓰는 것이
참 삶이고
참 부유
참 행복임을
오랜 세월이 가르쳐 준

이 깨달음을
새아기 너와 함께 나누고 싶구나

사랑하는 아가!
고질화되어 버린 나의 타성이
나의 깨달음으로 하루아침에
변화될 수 없을지라도
부단한 노력으로 끈기 있게
말씀 속에 거하려
말씀 속에 순종하려
나의 온 힘을 다 할 것이란다

아가!
힘겹고 어려울 때는
우리 인생에 반드시 오는 것
어려움이 닥칠 때는
진실로 감사하자꾸나
환난과 역경이야말로
하나님께로 다가가는
나의 키의 자람이라는 것을
이 어미는
지나온 산 경험으로 자신 있게

아가에게 말할 수 있단다

사랑하는 아가!
많은 어려움의 길을
너의 시아버님과 나는
같이 걸어왔단다
그래서 나는 너의 시아버님을
더욱 더 사랑하고
더욱 더 이해하고
더욱 더 잊을 수가 없단다
아가!
많은 역경과 어려움을 되돌아볼 때
주님이 우리를 안고 간
주님의 발자국만
가슴속에 뚜렷이 남아 있구나

사랑하는 며늘아가
네가 우리 집 새 식구로 들어옴을
두 손을 들어 환영하고
너같이 명철하고
너같이 지혜롭고
너같이 착하고

너같이 아름다운

며느리를 준 하나님께

진심으로 감사를 드린단다

사랑하는 엄마가.

행복

갓 결혼한 사랑하는 조카 사위에게

행복은 아름다움입니다

행복은 생명이 있는 것
행복은 정성을 다 해 키우는 것
행복은 희생의 결실입니다

행복은 눈물로 가꾸는 것
행복은 인내의 결정체
행복은 참음의 보람
행복은 섬김의 열매입니다

행복은 감사의 선물입니다

눈보라 몰아칠 때
알몸으로 가리고 키운
행복의 꽃

드디어
행복의 꽃은
가슴속에서 피어나
향기를 터뜨립니다

그래서
행복은 아름다움입니다